# Αλφαβητάριο

## First Grade Primer

*Theodore C. Papaloizos, Ph.D.*

ISBN - 13: 978-0-932416-42-1
ISBN - 10: 0-932416-42-X

5th Edition 2022

For more information, please visit www.greek123.com
Please submit changes and report errors to www.greek123.com/feedback

Printed and bound in Korea

**Papaloizos Publications, Inc.**
11720 Auth Lane
Silver Spring MD 20902
301.593.0652

# *Table of Contents*

**Part B - Short Readings**

# α

α α α

α α α

# μ

μ μ μ

μ μ μ

μα μα μα

μα μα μα

μα - μά

μαμά

μαμά μαμά

μαμά - *mother*

# LESSON 2

ι ι ι

ν ν ν

να να να

νι νι νι

νά - νι

νάνι νάνι νάνι

νάνι - *sleep*

ε ε ε

νε νε νε

να να να

με με με

έ - να ένα

ένα

ένα - *one*

## *Review*

Αα Αα

Εε Εε

Ιι Ιι

Μμ Μμ

Νν Νν

Αα Εε Ιι Μμ Νν

ένα - *one*

μαμά - *mother*

νάνι - *sleep*

λ λ λ

ο ο ο

λο λο λο

λα λα λα

νο νο νο

μο μο μο

έ - λα έλα έλα

ό - λο όλο όλο

έλα - *come*

όλο - *all*

η η η

μη μη μη

λο λο λο

μή - λο μήλο

ένα μήλο

Να ένα μήλο.

μι - α μια

Να μια μαμά.

μήλο - *apple*

να - *here is*

μια - *a*

λε - μό - νι λεμόνι

ένα λεμόνι

Να ένα λεμόνι.

Να μια μαμά.

Να ένα μήλο.

λεμόνι - *lemon*

τ τ τ

το το το

τα τα τα

τι τι τι

μά - τι μάτι

το μάτι

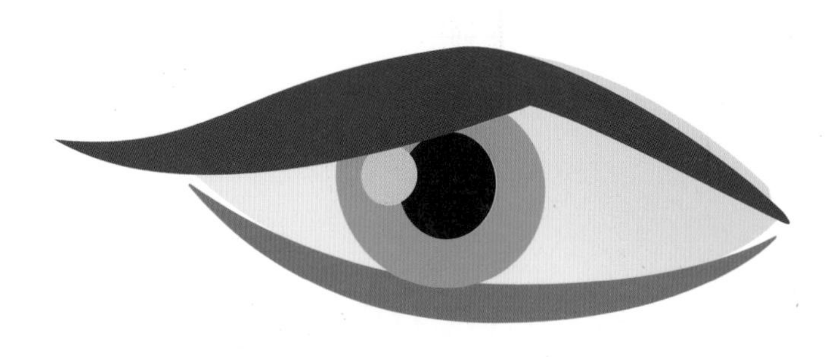

ένα μάτι

το μάτι - *eye*
το - *the*

υ υ υ

μυ τυ νυ λυ

μυ μυ τη τη

μύ - τη μύτη

η μύτη

μία μύτη

η μύτη - *nose*
η - *the*

## *Review*

Αα Εε Ηη

Ιι Λλ Μμ Νν

Οο Ττ Υυ

η - *the*
το - *the*

μια (μία) - *a, an, one*
ένα - *a, an, one*

το μάτι - *eye*
το μήλο - *apple*
το λεμόνι - *lemon*

όλο - *all*
έλα - *come*
να - *here is*

η μύτη - *nose*

Να ένα λεμόνι.

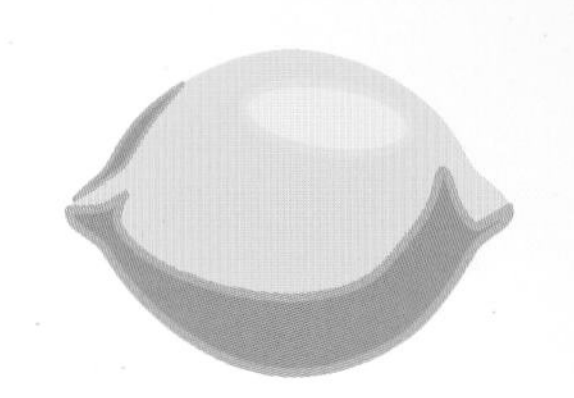

Να ένα μάτι.

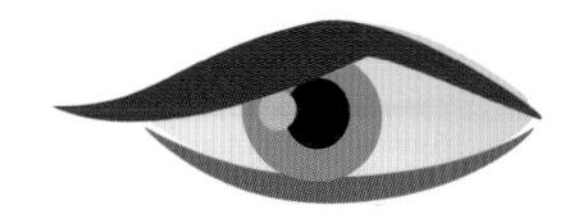

Να μία μύτη.

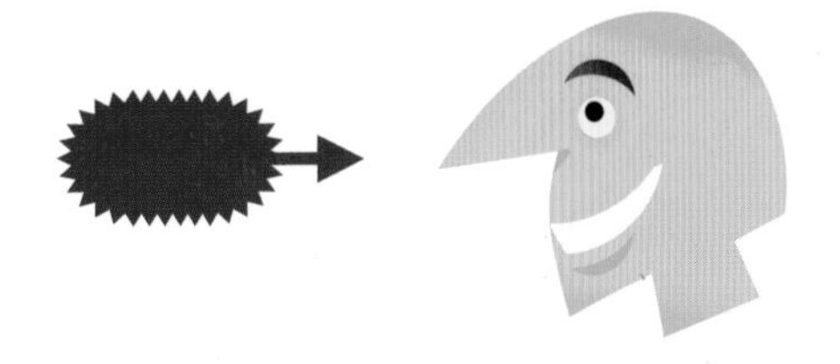

Να μια μαμά.

Να ένα μήλο.

Κ κ κ κ

κο κο κα κα

κι κι κε κε

κό - τα κότα

η κότα

μια κότα

Να μια κότα.

η κότα - *chicken*

| | |
|---|---|
| κα - λό | καλό |
| κα - λή | καλή |
| κά - τι | κάτι |

να κάτι
κάτι
να κάτι

μια καλή μαμά
η καλή μαμά
Να η καλή μαμά.

καλό - *good*
καλή - *good*
κάτι - *something*

ό - νο - μα　　όνομα

το όνομα　　ένα όνομα

καλό λεμόνι

ένα καλό λεμόνι

καλή μαμά

μια καλή μαμά

καλό μήλο

ένα καλό μήλο

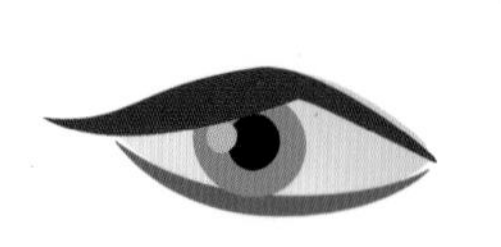

ένα μάτι

ένα καλό μάτι

καλό όνομα

ένα καλό όνομα

το όνομα - *name*

# Π π π π

## πα πι πο πε

πα - πί    παπί

το παπί

ένα παπί

πα - πά - κι    παπάκι

το παπάκι

ένα παπάκι

ένα καλό παπάκι

πε - πό - νι    πεπόνι

το πεπόνι

το καλό πεπόνι

ένα καλό πεπόνι

το παπί - *duck*
το παπάκι - *duckling*
το πεπόνι - *cantaloupe*

Ω ω ω ω

νω νω νω νω

πω πω πω πω

πί - νω πίνω

Πίνω κάτι.

Να, πίνω κάτι.

πά - νω πάνω

πάνω

κά - τω κάτω

κάτω

πίνω - *I drink*
πάνω - *up*
κάτω - *down*

Πό - πη Πόπη

η Πόπη

Να η Πόπη.

Ε - λέ - νη Ελένη

η Ελένη

Να η καλή Ελένη.

η Πόπη - *a girl's name*

η Ελένη - *Helen*

Νί - κη    Νίκη
η Νίκη
Να η καλή Νίκη.

Άν - να    Άννα
η Άννα
Να η καλή Άννα.

Νίκη, έλα πάνω.
Άννα, έλα κάτω.
Ελένη, έλα πάνω.
Πόπη, έλα κάτω.

η Νίκη - *a girl's name*
η Άννα - *Anna*

# *Review*

# Κκ Ππ Ωω

η Άννα - *Anna*
η Πόπη - *a girl's name*
η Νίκη - *a girl's name*
η Ελένη - *Helen*

καλή - *good*
καλό - *good*
κάτι - *something*

πάνω - *up*
κάτω - *down*

το παπί - *duck*
το παπάκι - *duckling*
το πεπόνι - *cantaloupe*
το όνομα - *name*

η κότα - *chicken*
πίνω - *I drink*

# Ρ ρ ρ ρ

## ρα ρη ρε ρω

νε - ρό νερό

το νερό

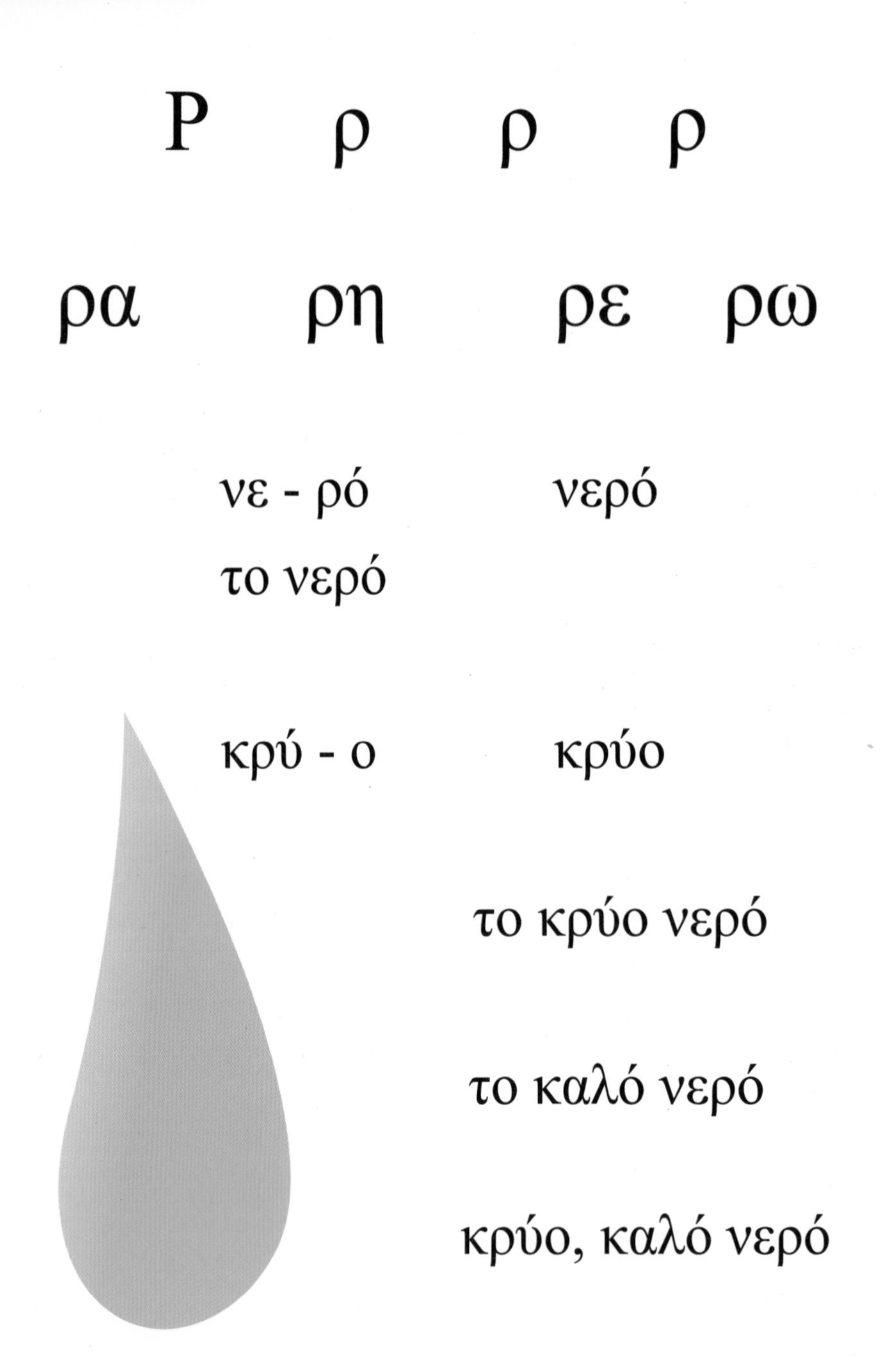

κρύ - ο κρύο

το κρύο νερό

το καλό νερό

κρύο, καλό νερό

το νερό - *water*
κρύο - *cold*

πο - τή - ρι     ποτήρι

το ποτήρι

ένα ποτήρι

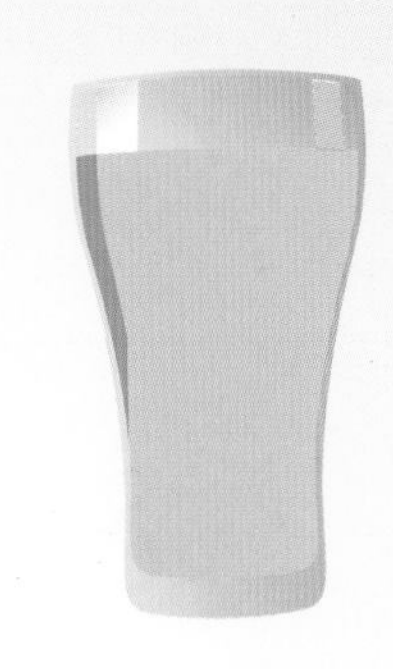

ένα ποτήρι κρύο νερό

Πίνω ένα ποτήρι κρύο νερό.

τώ - ρα     τώρα

Τώρα πίνω νερό.

Τώρα πίνω ένα ποτήρι κρύο νερό.

το ποτήρι - *glass*

τώρα - *now*

## LESSON 8

Δ δ *δ* *δ*

δα δε δι δο δη

αδ εδ ιδ οδ ηδ

δύ - ο δύο 2

ένα μήλο

δύο μήλα

δύο - *two* το μήλο - *apple*
τα - *the* τα μήλα - *apples*

ένα λεμόνι

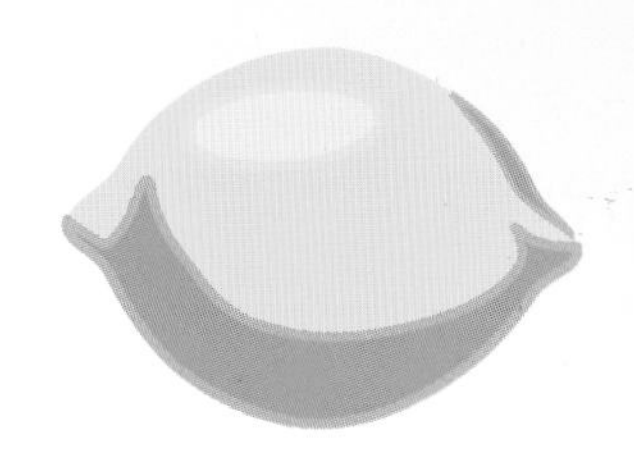

δύο λεμόνια

ένα μάτι

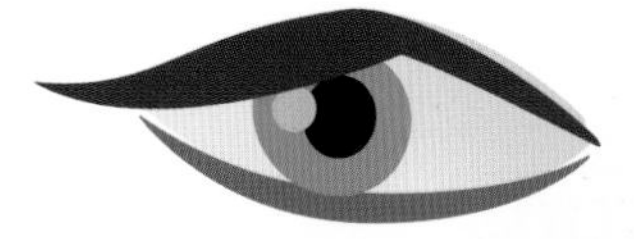

δύο μάτια

το λεμόνι - *lemon*
τα λεμόνια - *lemons*

το μάτι - *eye*
τα μάτια - *eyes*

ένα ποτήρι

δύο ποτήρια

πό - δι πόδι

το πόδι

ένα πόδι

δύο πόδια

Να δύο πόδια.

το ποτήρι - *glass* το πόδι - *foot*

τα ποτήρια - *glasses* τα πόδια - *feet*

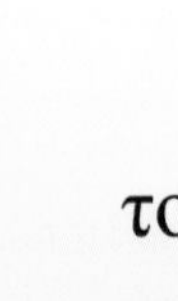

δώ - ρο δώρο

το δώρο

ένα δώρο

μι - κρό μικρό

ένα μικρό δώρο

το μικρό δώρο

το μικρό μήλο

το μικρό λεμόνι

το μικρό μάτι

το μικρό ποτήρι

το δώρο - *gift*
μικρό - *small*

τρί - α τρία

3

ένα μάτι

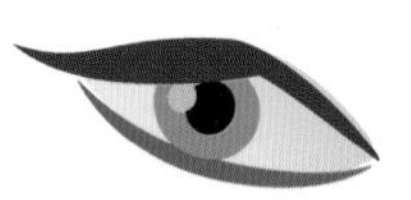

δύο μάτια

τρία μάτια

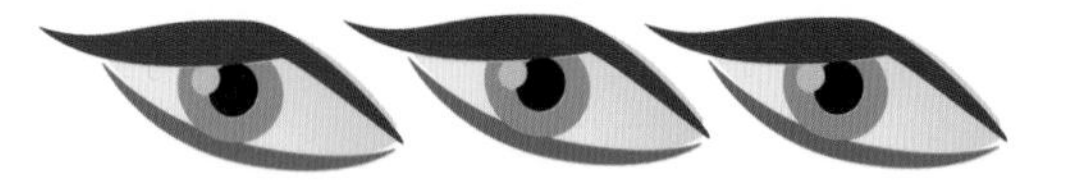

τρία μήλα

τρία - *three*

δέ - κα δέκα

# 10

δέκα λεμόνια

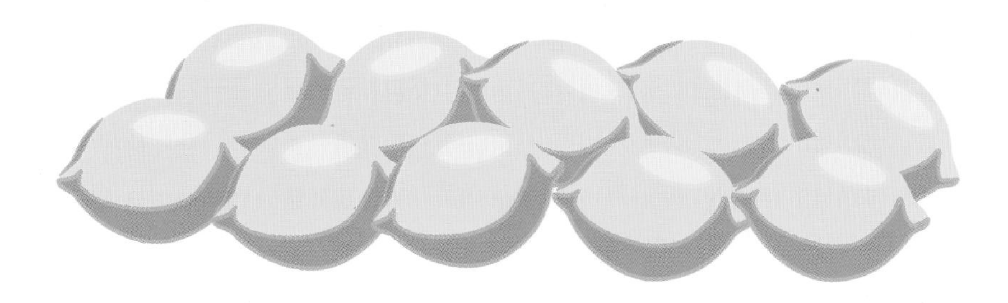

δέκα μήλα

Να δέκα μήλα.

δέκα - *ten*

δώ - δε - κα δώδεκα

# 12

δώδεκα μήλα

δώδεκα ποτήρια

δώδεκα - *twelve*

δί - νω     δίνω

Δίνω ένα ποτήρι νερό.

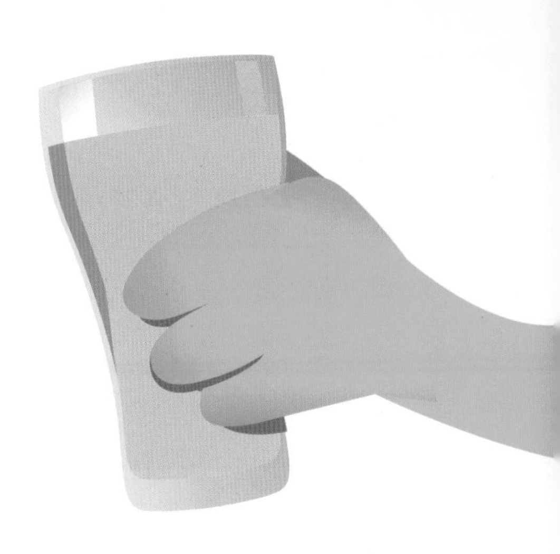

Πίνω ένα ποτήρι νερό.

Πίνω ένα ποτήρι κρύο νερό.

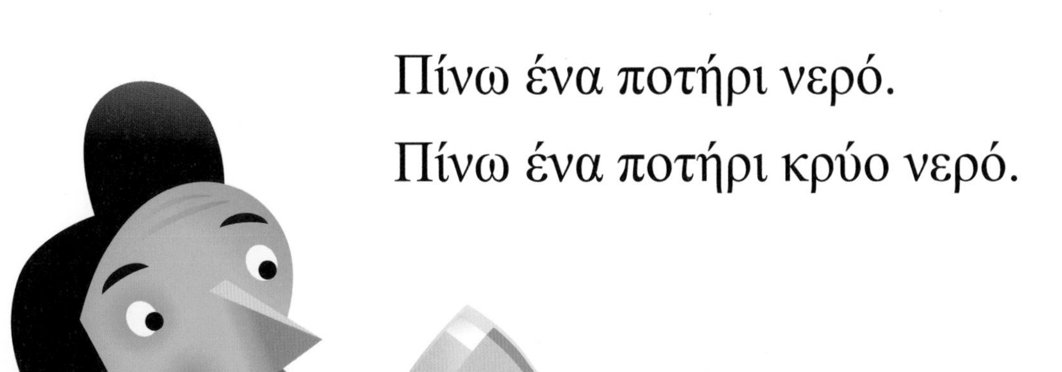

δίνω - *I give*

*Letters we have learned to this day:*

| | | | | |
|---|---|---|---|---|
| Αα | Δδ | Εε | Ηη | Ιι |
| Κκ | Λλ | Μμ | Νν | Οο |
| Ππ | Ρρ | Ττ | Υυ | Ωω |

*We have learned these words:*

| | |
|---|---|
| μια | ένα |
| ένα | δύο |
| η | τρία |
| το | δέκα |
| τα | δώδεκα |

να
νάνι
έλα
όλο
καλό
καλή
κάτι
πάνω
κάτω
κρύο
τώρα
μικρό

το μάτι
το λεμόνι
το μήλο
το πόδι
το παπί
το παπάκι
το ποτήρι
το πεπόνι
το νερό
το όνομα
το δώρο

η μύτη
η κότα
η μαμά
η Άννα
η Ελένη
η Νίκη
η Πόπη

δίνω
πίνω

το μάτι
τα μάτια

το πόδι
τα πόδια

το μήλο
τα μήλα

το ποτήρι
τα ποτήρια

το λεμόνι
τα λεμόνια

# Β β β β

βα βε βι βο βη βω

βλέ - πω βλέπω

βι - βλί - ο βιβλίο

το βιβλίο

ένα βιβλίο

Βλέπω το βιβλίο.

Να ένα καλό βιβλίο.

βλέπω - *I see*

Δίνω το βιβλίο.

ένα βιβλίο

δύο βιβλία

τρία βιβλία

το βιβλίο - *book*
τα βιβλία - *books*

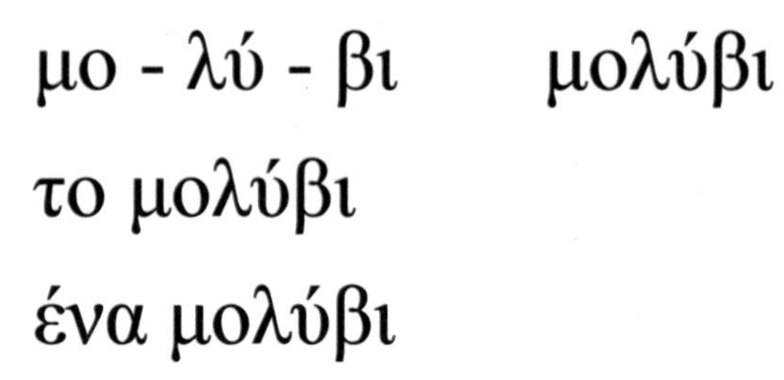

μο - λύ - βι        μολύβι

το μολύβι

ένα μολύβι

ένα μολύβι

δύο μολύβια

τρία μολύβια

το μολύβι - *pencil*
τα μολύβια - *pencils*

κόκ - κι - νο κόκκινο

το κόκκινο βιβλίο

το κόκκινο μολύβι

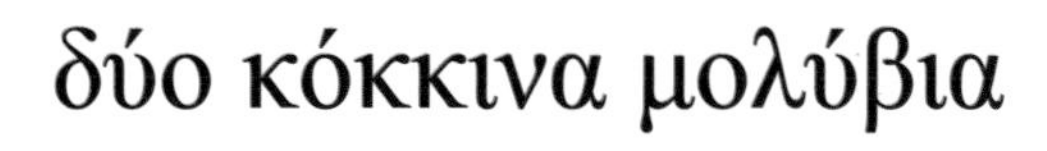

δύο κόκκινα μολύβια

δύο κόκκινα βιβλία

κόκκινο - *red*

κί - τρι - νο κίτρινο

πολ - λά πολλά

Ένα κίτρινο βιβλίο.

Ένα κίτρινο μολύβι.

Ένα κίτρινο λεμόνι.

Δύο κίτρινα λεμόνια.

Δύο κόκκινα μολύβια.

Τρία κόκκινα βιβλία.

κίτρινο - *yellow*
πολλά - *many*

πολλά βιβλία

πολλά μολύβια

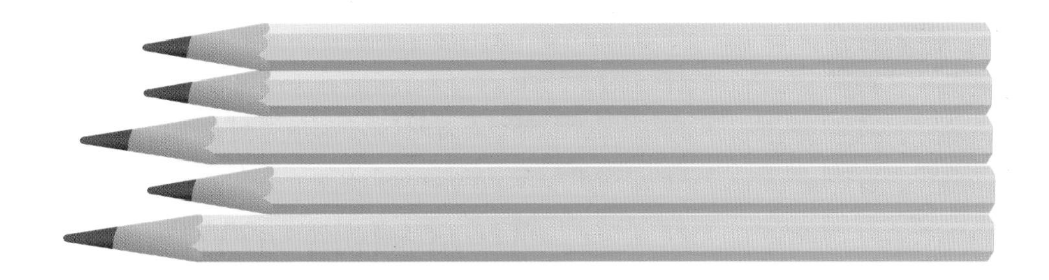

πολλά λεμόνια

# Γ γ γ γ

## γα γε γι γο γω γη

γά - λα γάλα

το γάλα

το καλό γάλα

ένα ποτήρι γάλα

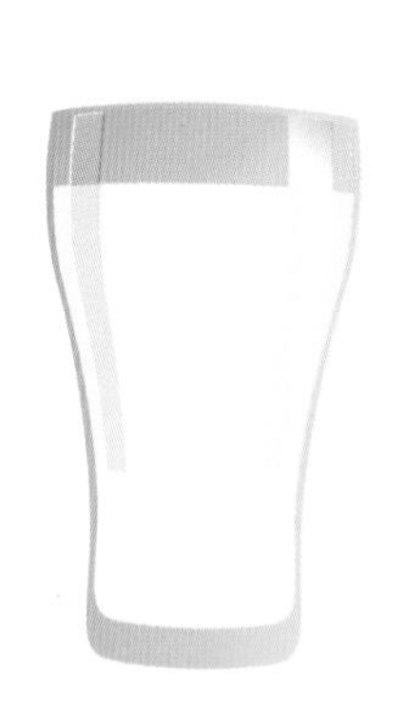

ε - γώ εγώ

Εγώ πίνω γάλα.

Πίνω το κρύο γάλα.

Πίνω το καλό γάλα.

Πίνω ένα ποτήρι γάλα.

το γάλα - *milk*
εγώ - *I*

γά - τα γάτα
η γάτα
μια γάτα

γα - τά - κι γατάκι
το γατάκι
ένα γατάκι

μια μεγάλη γάτα

ένα μικρό γατάκι

Βλέπω μια γάτα.

Βλέπω ένα γατάκι.

η γάτα - *cat*
το γατάκι - *kitten*

# LESSON 12

Ψ ψ ψ ψ

ψα ψε ψο ψι ψη ψω

ψω - μί ψωμί

το ψωμί

ένα ψωμί

ψά - ρι ψάρι

το ψάρι

ένα ψάρι

τρώ - ω τρώω

Τρώω ένα ψάρι.

το ψωμί - *bread*
το ψάρι - *fish*
τρώω - *I eat*

Ένα μικρό ψάρι.

Ένα μικρό κόκκινο ψάρι.

Ένα μικρό κίτρινο ψάρι.

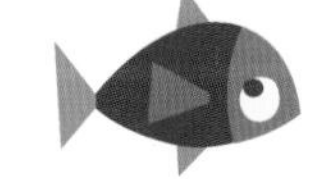

ένα ψάρι

δύο ψάρια

τρία ψάρια

δέκα ψάρια

τα ψάρια - *fish (more than one)*

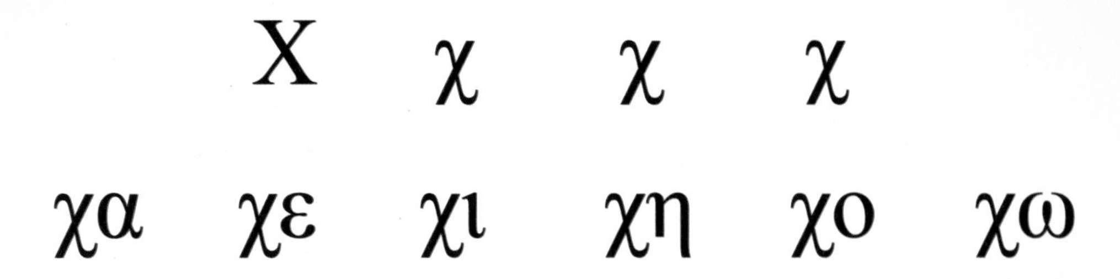

Χ χ χ χ

χα χε χι χη χο χω

έ - χω έχω

Έχω ένα ποτήρι γάλα.

Πίνω το γάλα.

Έχω ένα μήλο.

Τρώω το μήλο.

τυ - ρί τυρί το τυρί

Έχω τυρί.

Τρώω το τυρί.

έχω - *I have*
το τυρί - *cheese*

χέ - ρι χέρι

το χέρι

ένα χέρι

δύο χέρια

Έχω δύο χέρια.

χα - ρά χαρά

η χαρά

Έχω μεγάλη χαρά.

χιό - νι χιόνι

το χιόνι

πολύ χιόνι

Βλέπω το χιόνι.

το χέρι - *hand*
τα χέρια - *hands*
η χαρά - *joy*
το χιόνι - *snow*
πολύ - *much*

Σ σ ς

Σα Σο Σι Σε Σω Ση

ος ες ις ης ως

σα σε σι ση σω σο

πα - τέ - ρας πατέρας
ο πατέρας

έ - νας ένας
ένας πατέρας

ένας καλός πατέρας
ο καλός πατέρας

ο πατέρας - *father*
ένας - *a (an, one)*

μη - τέ - ρα μητέρα

η μητέρα

μια καλή μητέρα

η καλή μητέρα

Νί - κος Νίκος

ο Νίκος

ο μικρός Νίκος

με - γά - λος μεγάλος

σκύ - λος σκύλος

ο σκύλος

ένας μεγάλος σκύλος

σκυ - λά - κι σκυλάκι

το σκυλάκι

ένα μικρό σκυλάκι

η μητέρα - *mother*
ο Νίκος - *Nick*

μεγάλος - *big, large*
ο σκύλος - *dog*
το σκυλάκι - *small dog*

τ + σ = τσ

τσ τς

τσι τσα τσε τσο

κο - ρί - τσι κορίτσι

το κορίτσι

ένα κορίτσι

α - γό - ρι αγόρι

το αγόρι

ένα αγόρι

ο Νίκος

το αγόρι, ο Νίκος

Να ο Νίκος, το αγόρι.

η Άννα

το κορίτσι, η Άννα

Να η Άννα, το κορίτσι.

το κορίτσι - *girl*
το αγόρι - *boy*

ο πατέρας

η μητέρα

το κορίτσι

το αγόρι

ν + τ = ντ

ντε ντο ντα ντι

5 πέ - ντε
πέντε

4 τέσ - σε - ρα
τέσσερα

ένα 1 δύο 2

τρία 3 τέσσερα 4 πέντε 5

πέντε - *five*
τέσσερα - *four*

# Θ θ θ θ

## θα θε θι θο θω θη θυ

θη - ρί - ο θηρίο
το θηρίο
ένα θηρίο

με - γά - λο μεγάλο
το μεγάλο θηρίο

κα - κό κακό
το κακό θηρίο

το θηρίο - *monster*
κακό - *bad*

θά - λασ - σα θάλασσα

η θάλασσα

η μεγάλη θάλασσα

γα - λα - νή γαλανή

η γαλανή θάλασσα

η θάλασσα - *sea*

γαλανή - *blue*

ε + ι = ει ← sounds like ι

δει νει βει

λει σει πει

| | | |
|---|---|---|
| θέ - λω | θέλω | *I want* |
| θέ - λεις | θέλεις | *you want* |
| θέ - λει | θέλει | *he, she, it wants* |

Εγώ θέλω το βιβλίο.

Το αγόρι θέλει το μολύβι.

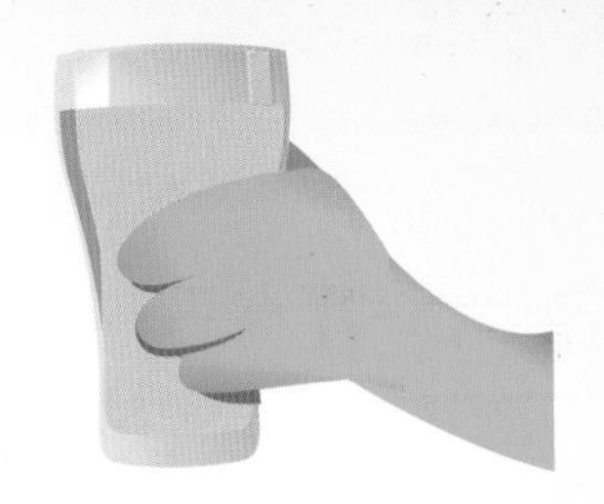

Θέλω ένα ποτήρι νερό.
Να ένα ποτήρι νερό.

ε - σύ　　　εσύ
τι　　　　　τι

Εσύ, τι θέλεις;
Εγώ θέλω ένα ποτήρι γάλα.

Τι θέλει η Άννα;
Η Άννα θέλει ένα μήλο.

Τι θέλει ο Νίκος;
Ο Νίκος θέλει ένα κόκκινο μήλο.

εσύ - *you*
Τι; - *What?*

# LESSON 16

μ + π = μπ

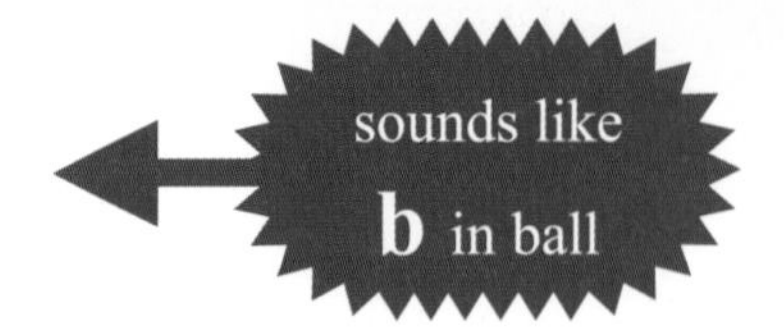


μπα μπε μπο

μπα - μπάς μπαμπάς
ο μπαμπάς
ένας μπαμπάς
ένας καλός μπαμπάς

μπά - λα μπάλα
η μπάλα
μια μπάλα

Έχω μια μπάλα.

Έχω μια κόκκινη μπάλα.

Έχω μια μικρή μπάλα.

Έχω μια μεγάλη μπάλα.

ο μπαμπάς - *father*
η μπάλα - *ball*

μπαλ - κό - νι μπαλκόνι
το μπαλκόνι
ένα μπαλκόνι

ψη - λό ψηλό
ένα ψηλό μπαλκόνι
ένα μεγάλο μπαλκόνι

μπα - νά - να μπανάνα
η μπανάνα
μια μπανάνα

πρά - σι - νη πράσινη
η πράσινη μπανάνα
μια κίτρινη μπανάνα

Το αγόρι θέλει μια μπανάνα.
Δε θέλει πράσινη μπανάνα.
Θέλει κίτρινη μπανάνα.

το μπαλκόνι - *balcony*
ψηλό - *high*
η μπανάνα - *banana*
πράσινη - *green*

Φ φ φ φ

φα φι φε φο

φει φω φει

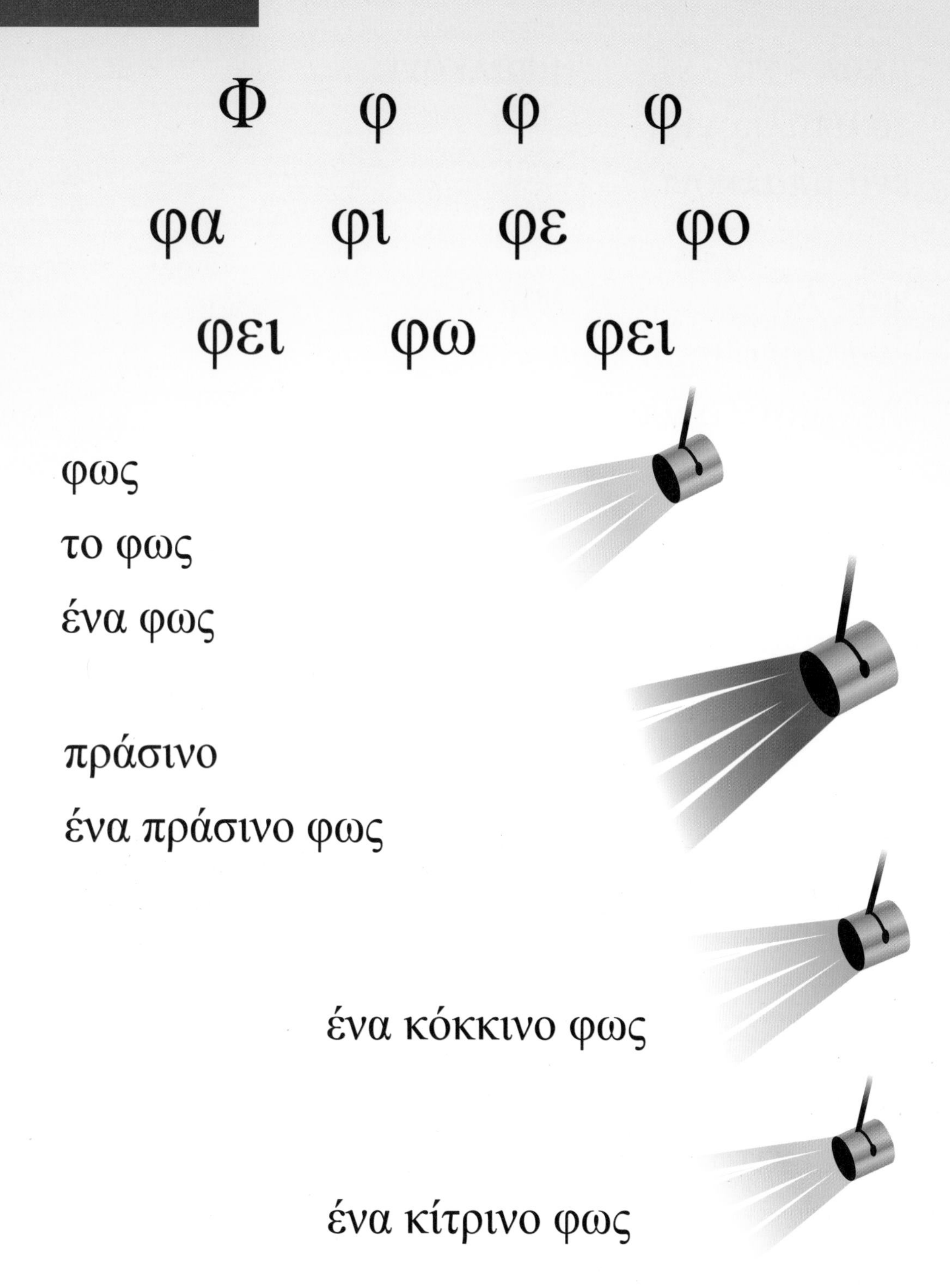

φως

το φως

ένα φως

πράσινο

ένα πράσινο φως

ένα κόκκινο φως

ένα κίτρινο φως

το φως - *light*

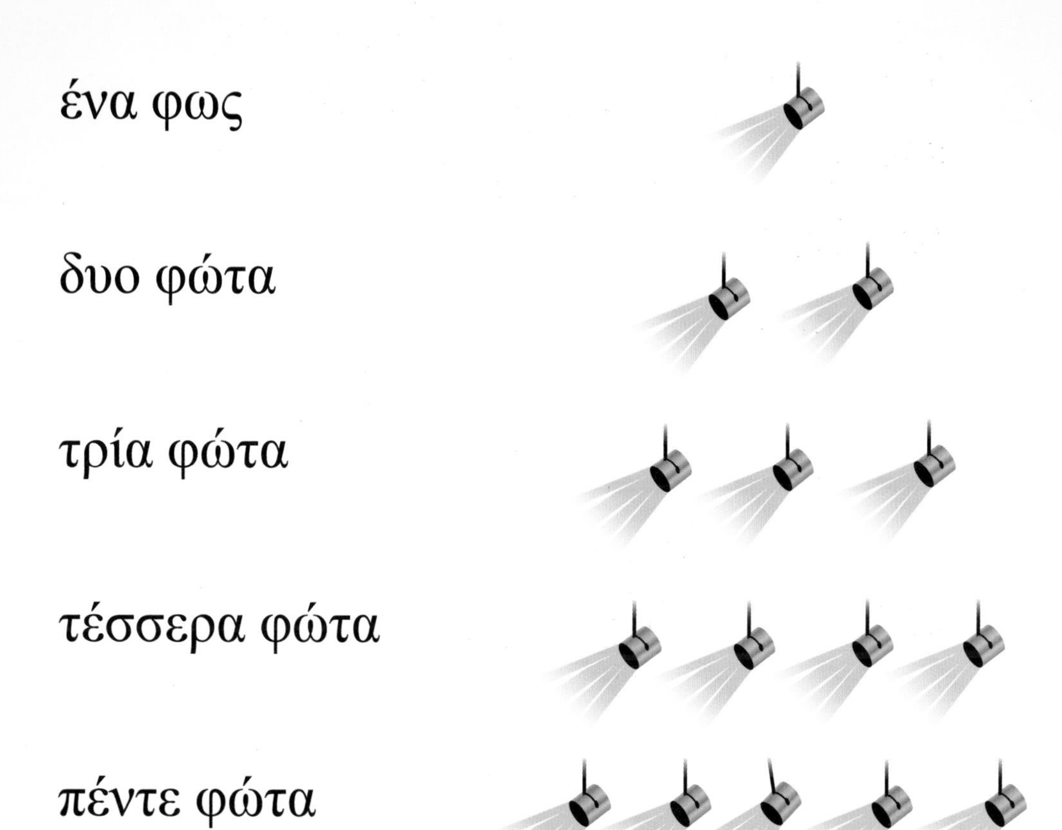

ένα φως

δυο φώτα

τρία φώτα

τέσσερα φώτα

πέντε φώτα

φω - τιά φωτιά

η φωτιά

μία φωτιά

μία μεγάλη φωτιά

δυο (δύο) - *two*
μία (μια) - *a, an, one*
τα φώτα - *lights*
η φωτιά - *fire*

φύλ - λο

φύλλο

το φύλλο

ένα φύλλο

πράσινο  κίτρινο 

ένα πράσινο φύλλο

ένα κίτρινο φύλλο

ένα κόκκινο φύλλο

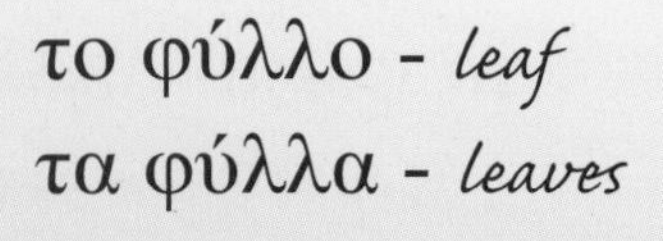

το φύλλο - *leaf*
τα φύλλα - *leaves*

δυο πράσινα φύλλα

τρία μικρά φύλλα

τέσσερα μεγάλα φύλλα

πέντε κίτρινα φύλλα

μικρά - *small*

# LESSON 18

| | | |
|---|---|---|
| βλέ - πω | βλέπω | *I see* |
| βλέ - πεις | βλέπεις | *you see* |
| βλέ - πει | βλέπει | *he, she, it sees* |

Βλέπω ένα φως.
Τι βλέπεις;
Βλέπω ένα φως.

Ο Νίκος βλέπει
δυο φώτα.
Τι βλέπει ο Νίκος;
Ο Νίκος βλέπει
δυο φώτα.

έ - χω | έχω | *I have*
έ - χεις | έχεις | *you have*
έ - χει | έχει | *he, she, it has*

πό - σα | πόσα
χέ - ρι | χέρι
το χέρι | τα χέρια

Έχω δυο χέρια.
Πόσα χέρια έχεις;
Έχω δυο χέρια.

Ο Γιώργος έχει πολλά βιβλία.
Τι έχει ο Γιώργος;
Ο Γιώργος έχει πολλά βιβλία.

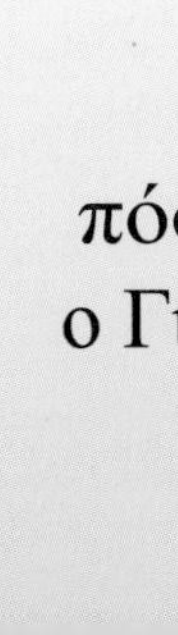
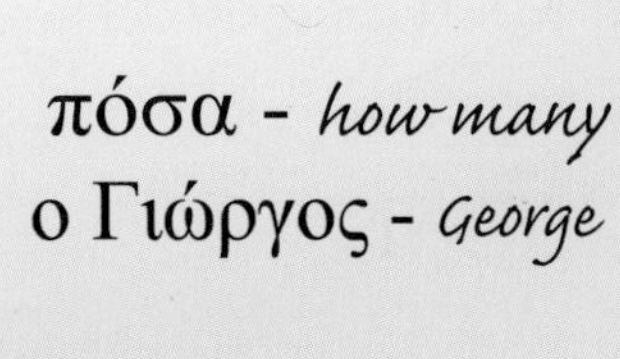

πόσα - *how many*
ο Γιώργος - *George*

τρώ - ω τρώω *I eat*

τρως τρως *you eat*

τρώ - ει τρώει *he, she, it eats*

κρέ - ας κρέας

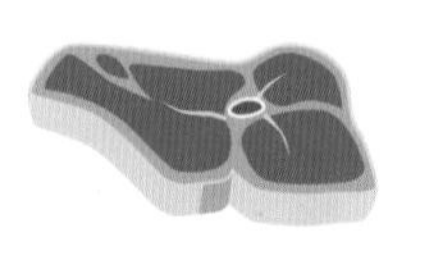

το κρέας

Εγώ τρώω ένα ψάρι.

Εσύ, τι τρως;

Εγώ τρώω κρέας.

φα - γη - τό φαγητό

το φαγητό

το καλό φαγητό

Ο Γιάννης τρώει φαγητό.

το κρέας - *meat*
το φαγητό - *food*
ο Γιάννης - *John*

| | | |
|---|---|---|
| πί - νω | πίνω | *I drink* |
| πί - νεις | πίνεις | *you drink* |
| πί - νει | πίνει | *he, she, it drinks* |

Η Ελένη πίνει γάλα.
Τι πίνει η Ελένη;
Η Ελένη πίνει γάλα.

Εσύ, τι πίνεις;
Εγώ πίνω κρύο νερό.

α + ι = αι ← sounds like ε

και μαι δαι ται λαι

| | | |
|---|---|---|
| εί - μαι | είμαι | *I am* |
| εί - σαι | είσαι | *you are* |
| εί - ναι | είναι | *he, she, it is* |
| εί - ναι | είναι | *they are* |

παι - δί παιδί

το παιδί

Είμαι ένα παιδί.

Ο Γιώργος είναι ένα αγόρι.

Η Άννα είναι ένα κορίτσι.

Ο Νίκος και ο Γιάννης είναι αγόρια.

Η Ελένη και η Σοφία είναι κορίτσια.

Τι είναι ο Γιώργος;

Ο Γιώργος είναι ένα αγόρι.

Τι είναι η Άννα;
Η Άννα είναι ένα κορίτσι.

Τι είναι ο Γιώργος, η Άννα, ο Νίκος,
ο Γιάννης, η Σοφία και η Ελένη;

Ο Γιώργος, η Άννα, ο Νίκος, ο Γιάννης,
η Σοφία και η Ελένη είναι παιδιά.

το παιδί - *child*
τα παιδιά - *children*

και - *and (also)*
η Σοφία - *girl's name*

α + υ = αυ

sounds like **af** or **av**

βαυ γαυ ταυ μαυ

αυ - τός *this*
αυ - τή *this*
αυ - τό *this*

αύ - ρι - ο αύριο
μαύ - ρο μαύρο

αυ - τί αυτί το αυτί
αυ - τιά αυτιά τα αυτιά

Τι είναι αυτός;
Αυτός είναι ένας πατέρας.
Τι είναι αυτή;
Αυτή είναι μια μητέρα.

αύριο - *tomorrow*
μαύρο - *black*
το αυτί - *ear*
τα αυτιά - *ears*

χρώ - μα          χρώμα

το χρώμα

ένα χρώμα

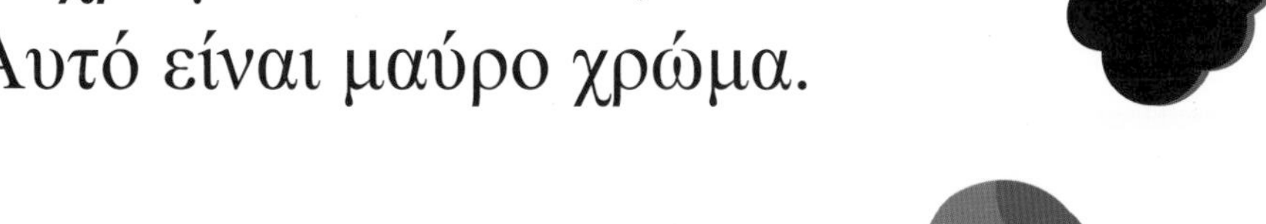

Τι χρώμα είναι αυτό;

Αυτό είναι μαύρο χρώμα.

Τι είναι αυτό;

Αυτό είναι ένα κορίτσι.

Τι είναι αυτό;

Αυτό είναι ένα αγόρι.

Τι είναι αυτά;

Αυτά είναι βιβλία.

Αυτά είναι μαύρα βιβλία.

το χρώμα - *color*

ο + υ = ου

sounds like
**oo** in book

ου βου του μου που νου

| | | | |
|---|---|---|---|
| μου | *my, mine* | του | *his* |
| σου | *yours, your* | της | *hers, her* |

| | |
|---|---|
| το βιβλίο μου | *my book* |
| το βιβλίο σου | *your book* |
| το βιβλίο του | *his book* |
| το βιβλίο της | *her book* |

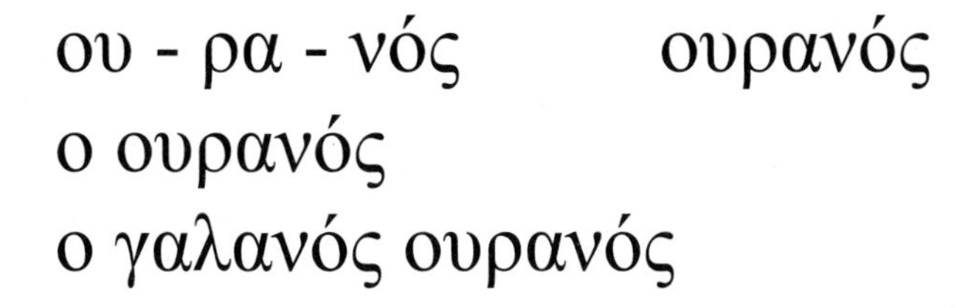

ου - ρα - νός ουρανός
ο ουρανός
ο γαλανός ουρανός

Ο ουρανός είναι γαλανός.
Πώς είναι ο ουρανός;
Ο ουρανός είναι γαλανός.

κα - θα - ρός καθαρός

Ο ουρανός είναι καθαρός.
Πώς είναι ο ουρανός;
Ο ουρανός είναι καθαρός.

ο ουρανός - *sky*
καθαρός - *clear, clean*
πως; - *how?*
γαλανός - *blue*

θά - λασ - σα θάλασσα
η θάλασσα
μια θάλασσα

Η θάλασσα είναι γαλανή.
Πώς είναι η θάλασσα;
Η θάλασσα είναι γαλανή.

βου - νό βουνό
το βουνό
ένα βουνό

Το βουνό είναι ψηλό.
Πώς είναι το βουνό;
Το βουνό είναι ψηλό.

Ο ουρανός είναι πάνω ψηλά.
Πού είναι ο ουρανός;
Ο ουρανός είναι πάνω ψηλά.

ψηλό - ψηλά - *high*
το βουνό - *mountain*

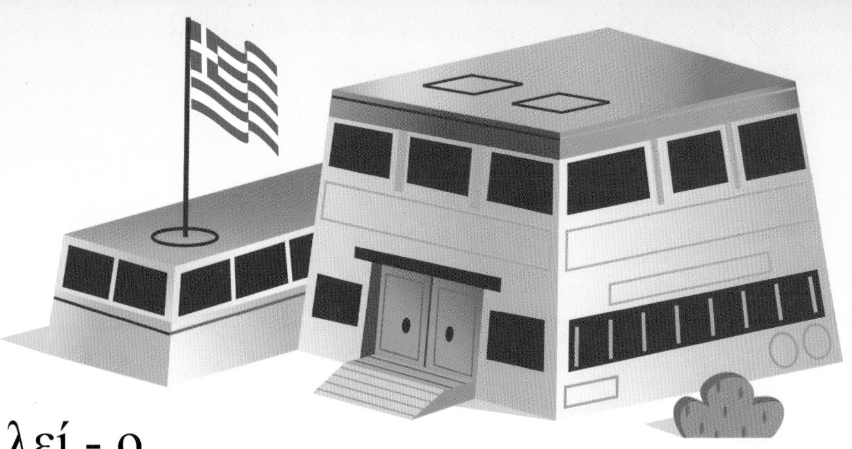

σχο - λεί - ο
το σχολείο
ένα σχολείο
το μεγάλο σχολείο
το σχολείο μου

το μολύβι
ένα μολύβι
το μολύβι

ένα κόκκινο μολύβι
Το μολύβι μου είναι κόκκινο.

ένα πράσινο μολύβι
Το μολύβι σου είναι πράσινο.

ένα κίτρινο μολύβι
Το μολύβι του είναι κίτρινο.

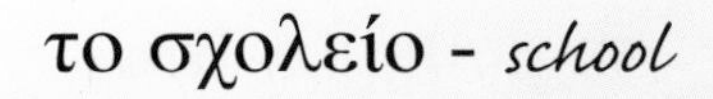
το σχολείο - *school*

# Ζ ζ

## ζει ζη ζι ζο ζω ζα

| | | |
|---|---|---|
| δια - βά - ζω | διαβάζω | *I read* |
| δια - βά - ζεις | διαβάζεις | *you read* |
| δια - βά - ζει | διαβάζει | *he, she, it reads* |

ζώ - νη ζώνη

η ζώνη

μια ζώνη

Διαβάζω ένα βιβλίο.

Ο Νίκος διαβάζει το μάθημά του.

Η Ελένη διαβάζει το μάθημά της.

η ζώνη - *belt*

το μάθημα - *lesson*

| | | |
|---|---|---|
| κά - νω | κάνω | *I do* |
| κά - νεις | κάνεις | *you do* |
| κά - νει | κάνει | *he, she, it does* |

Τι κάνω εγώ;

Εσύ διαβάζεις ένα βιβλίο.

Τι κάνει η Ελένη;

Η Ελένη διαβάζει το μάθημά της.

Τι κάνει ο Νίκος;

Ο Νίκος διαβάζει το μάθημά του.

| | | |
|---|---|---|
| γρά - φω | γράφω | *I write* |
| γρά - φεις | γράφεις | *you write* |
| γρά - φει | γράφει | *he, she, it writes* |

γράφω

δε γράφω

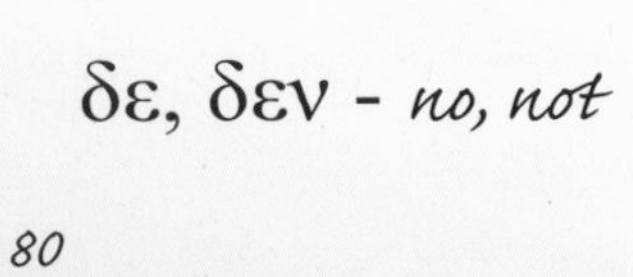

δε, δεν - *no, not*

τε - τρά - δι - ο  τετράδιο

το τετράδιο

στο

στο τετράδιο

Γράφω στο τετράδιο.

Τι κάνω;

Γράφεις στο τετράδιο.

Ο Γιάννης γράφει το μάθημά του.

Τι κάνει ο Γιάννης;

Ο Γιάννης γράφει το μάθημά του.

το τετράδιο - *notebook*

στο - *in the*

ε + υ = ευ

sounds like **ef** or **ev**

| | |
|---|---|
| ευ - χα - ρι - στώ | ευχαριστώ |
| Δευ - τέ - ρα | Δευτέρα |
| Ευ - τυ - χί - α | Ευτυχία *(girl's name)* |
| α - πό - γευ - μα | απόγευμα |
| Ευ - γε - νί - α | Ευγενία *(girl's name)* |
| ο - ρί - στε | ορίστε |
| μά - λι - στα | μάλιστα |
| πα - ρα - κα - λώ | παρακαλώ |

Θέλω ένα μολύβι, παρακαλώ.
Ορίστε ένα μολύβι.
Ευχαριστώ.

ευχαριστώ - *thank you*
παρακαλώ - *please*
ορίστε - *here*
μάλιστα - *yes*
η Δευτέρα - *Monday*
το απόγευμα - *afternoon*

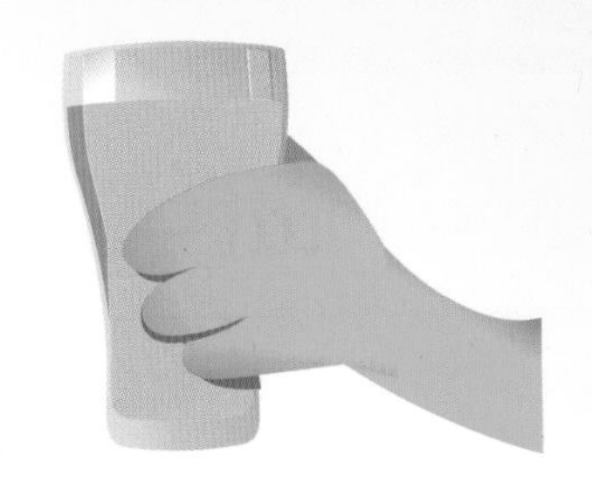

Θέλεις ένα ποτήρι νερό;
Μάλιστα.

Ορίστε ένα ποτήρι νερό.
Ευχαριστώ.

μέ - ρα          μέρα
η μέρα

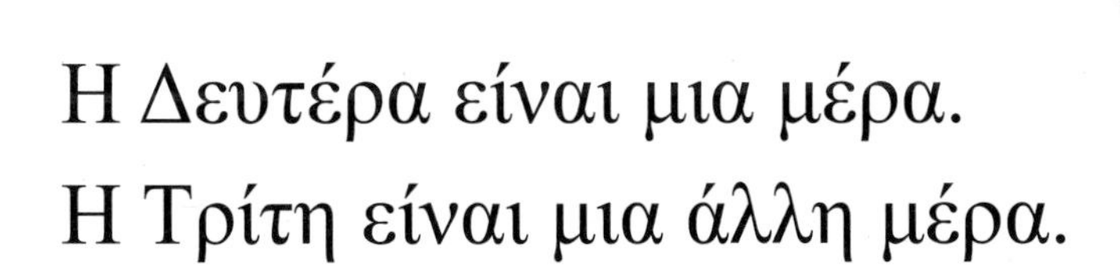

Η Δευτέρα είναι μια μέρα.
Η Τρίτη είναι μια άλλη μέρα.

Αυτό είναι ένα κορίτσι.
Το όνομά της είναι Ευτυχία.

Η Ευτυχία είναι ένα μικρό κορίτσι.

Η Ευγενία είναι μια μητέρα.

η μέρα - *day*
η Τρίτη - *Tuesday*
άλλη - *other*

| | | |
|---|---|---|
| παί - ζω | παίζω | *I play* |
| παί - ζεις | παίζεις | *you play* |
| παί - ζει | παίζει | *he, she, it plays* |

Γράφει η Άννα;

Όχι, η Άννα παίζει.

Τι κάνει το παιδί;

Το παιδί πίνει.

όχι - *no*

διαβάζω

δε διαβάζω

τρώω

δεν τρώω

Τι κάνει;

Τρώει.

Τι κάνει;

Διαβάζει.

Τι κάνει;

Τρώει ένα μήλο.

Τι κάνει;

Γράφει.

# Ξ ξ ξ

ξα ξε ξι ξο ξω ξη ξει

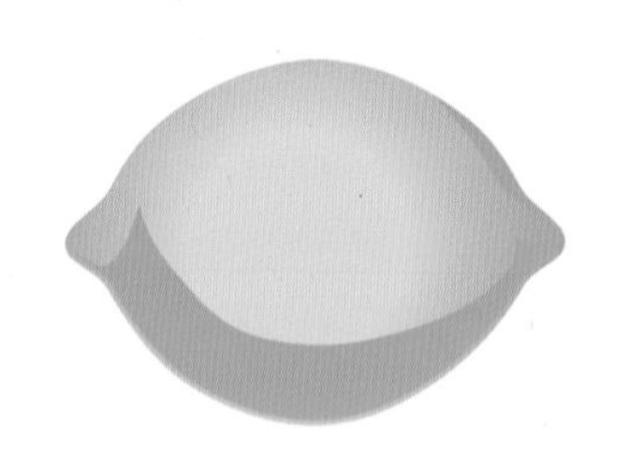

ξι - νό ξινό

ξινό λεμόνι

ένα ξινό λεμόνι

ξύ - λο ξύλο

το ξύλο

ένα ξύλο

ένα μεγάλο ξύλο

ένα μικρό ξύλο

ξινό - *sour*

το ξύλο - *wood*

έ - ξι

έξι

6

ξε - ρό ξερό

ξί - δι ξίδι

το ξινό ξίδι

έξι ξινά λεμόνια

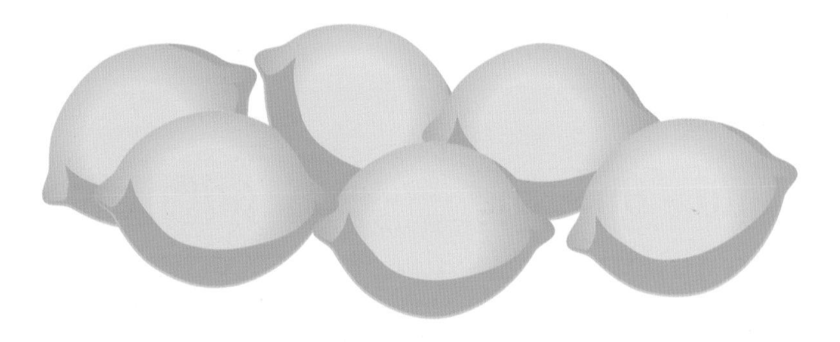

έξι ξερά ξύλα

το ξίδι - *vinegar*

ξερό - *dry*

έξι - *six*

ο + ι = οι ← sounds like ι

τοι ποι λοι χοι μοι

ποιος *who*
ποια *who*
ποιο *who*

δά - σκα - λος δάσκαλος
ο δάσκαλος ένας δάσκαλος

δα - σκά - λα δασκάλα
η δασκάλα μια δασκάλα

μα - θη - τής μαθητής
ο μαθητής ένας μαθητής

μα - θή - τρι - α μαθήτρια
η μαθήτρια μια μαθήτρια

ο δάσκαλος - *teacher (man)*
η δασκάλα - *teacher (woman)*
ο μαθητής - *pupil (boy)*
η μαθήτρια - *pupil (girl)*

Ποιος είναι αυτός;
Αυτός είναι ο Νίκος.

Τι είναι αυτός;
Αυτός είναι δάσκαλος.

Ποια είναι αυτή;
Αυτή είναι η Μαρία.

Τι είναι αυτή;
Αυτή είναι δασκάλα.

Ποιο είναι αυτό το παιδί;
Αυτό το παιδί είναι ο Γιάννης.
Τι είναι ο Γιάννης;
Ο Γιάννης είναι μαθητής.

Ποια είναι αυτή;
Αυτή είναι η Μαρία.
Τι είναι η Μαρία;
Η Μαρία είναι μαθήτρια.

η Μαρία - *Maria*

*You now know the 24 letters of the Greek alphabet:*

| | | | | | |
|---|---|---|---|---|---|
| Α | α | άλφα | Ν | ν | νι |
| Β | β | βήτα | Ξ | ξ | ξι |
| Γ | γ | γάμα | Ο | ο | όμικρο |
| Δ | δ | δέλτα | Π | π | πι |
| Ε | ε | έψιλο | Ρ | ρ | ρο |
| Ζ | ζ | ζήτα | Σ | σ,ς | σίγμα |
| Η | η | ήτα | Τ | τ | ταυ |
| Θ | θ | θήτα | Υ | υ | ύψιλο |
| Ι | ι | γιώτα | Φ | φ | φι |
| Κ | κ | κάπα | Χ | χ | χι |
| Λ | λ | λάμδα | Ψ | ψ | ψι |
| Μ | μ | μι | Ω | ω | ωμέγα |

*You also know these combinations of letters:*

αι ει ου αυ ευ τσ ντ μπ οι

*You have learned these words:*

αγόρι, το
άλλη
Άννα, η
απόγευμα, το
αύριο
αυτί, το
αυτό

βιβλίο, το
βλέπω
βουνό, το

γάλα, το
γαλανή
γάτα, η
γατάκι, το
Γιάννης, ο
Γιώργος, ο
γράφω

δασκάλα, η
δάσκαλος, ο
δε (δεν)
δέκα
Δευτέρα, η
διαβάζω
δίνω
δύο (δυο)
δώδεκα
δώρο, το

εγώ
είμαι
έλα
Ελένη, η
ένα
ένας
έξι
εσύ
Ευγενία, η
Ευτυχία, η
ευχαριστώ
έχω

ζώνη, η

η

θάλασσα, η
θέλω
θηρίο, το

καθαρός
και
κακό
καλή
καλό
κάνω
κάτι
κάτω
κίτρινο
κόκκινο
κορίτσι, το
κότα, η
κρέας, το
κρύο

λεμόνι, το

μαθητής, ο
μαθήτρια, η
μάλιστα
μαμά, η
Μαρία, η
μάτι, το
μαύρο
μεγάλο
μέρα, η
μήλο, το
μητέρα, η
μία (μια)
μικρό
μολύβι, το
μου
μπάλα, η
μπαλκόνι, το
μπαμπάς, ο
μπανάνα, η
μύτη, η

να
νάνι
νερό, το
Νίκη, η
Νίκος, ο

ξερό
ξίδι, το
ξινό
ξύλο, το

όλο
όνομα, το
ορίστε
ουρανός, ο
όχι

παιδί, το
παίζω
πάνω
παπάκι, το
παπί, το
παρακαλώ
πατέρας, ο
πέντε
πεπόνι, το
πίνω
πόδι, το
ποιο
πολλά
πολύ
Πόπη, η
πόσα
ποτήρι, το
πράσινο
πώς

σκυλάκι, το
σκύλος, ο
σου
Σοφία, η
στο
σχολείο, το

τα
τέσσερα
τετράδιο, το
της
τι
το
του
τρία
Τρίτη, η
τρώω
τυρί, το
τώρα

φαγητό, το
φύλλο, το
φως, το
φωτιά, η

χαρά, η
χέρι, το
χιόνι, το
χρώμα, το

ψάρι, το
ψηλό
ψωμί, το

# LESSON 26

πρω - ί

πρωί

ένα πρωί

το πρωί

το πρωί - *morning*

με - ση - μέ - ρι

μεσημέρι

ένα μεσημέρι

το μεσημέρι

το μεσημέρι - *noon*

α - πό - γευ - μα

απόγευμα

ένα απόγευμα

το απόγευμα

το απόγευμα - *afternoon*

βρά - δυ

βράδυ

ένα βράδυ

το βράδυ

νύ - χτα

νύχτα

μια νύχτα

η νύχτα

το βράδυ - *evening*

η νύχτα - *night*

| | | |
|---|---|---|
| λέ - ω | λέω | *I say* |
| λες | λες | *you say* |
| λέ - ει | λέει | *he, she, it says* |

| | | |
|---|---|---|
| κα - λη - μέ - ρα | καλημέρα | *good morning* |
| κα - λη - σπέ - ρα | καλησπέρα | *good evening* |
| κα - λη - νύ - χτα | καληνύχτα | *good night* |
| χαί - ρε - τε | χαίρετε | *hello, good-bye* |
| α - ντί - ο | αντίο | *good-bye* |

Το πρωί λέω καλημέρα.

Το μεσημέρι και το απόγευμα λέω χαίρετε, αντίο.

Το βράδυ λέω καλησπέρα και καληνύχτα.

Τη νύχτα λέω καλησπέρα και καληνύχτα.

# LESSON 27

| | | |
|---|---|---|
| χρώ - μα | το χρώμα | *color* |
| ά - σπρο | άσπρο | |
| μαύ - ρο | μαύρο | |
| κόκ - κι - νο | κόκκινο | |
| κί - τρι - νο | κίτρινο | |
| πρά - σι - νο | πράσινο | |
| κα - φέ | καφέ | |
| γα - λά - ζιο | γαλάζιο | |
| γα - λα - νό | γαλανό | |
| μπλε | μπλε | |
| κα - στα - νό | καστανό | |

άσπρο - *white*
μαύρο - *black*
κόκκινο - *red*
κίτρινο - *yellow*
πράσινο - *green*
καφέ - *brown*
καστανό - *chestnut brown*
γαλάζιο, γαλανό, μπλε - *blue*

χιό - νι

χιόνι

το χιόνι

πί - να - κας

πίνακας

ο πίνακας

ένας πίνακας

γρα - σί - δι

γρασίδι

το γρασίδι

το χιόνι - *snow*
ο πίνακας - *board*
το γρασίδι - *grass*

Το χιόνι είναι άσπρο.

Το γάλα είναι άσπρο.

Το μήλο είναι κόκκινο.

Το μολύβι είναι κόκκινο.

Το φύλλο είναι πράσινο.

Αυτό το μήλο είναι πράσινο.

Το γρασίδι είναι πράσινο.

αυτό - *this*

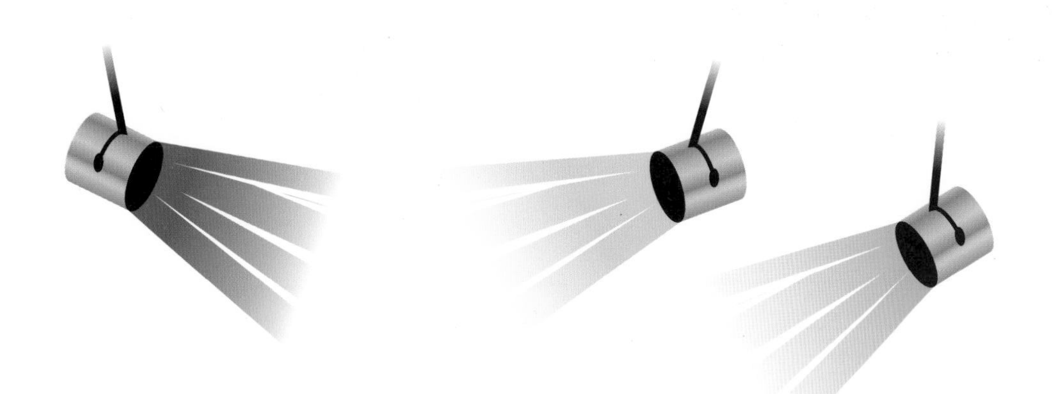

Το φως είναι πράσινο.

Το φως είναι κίτρινο.

Το φως είναι κόκκινο.

Ο πίνακας είναι μαύρος.

Το βιβλίο μου είναι μαύρο.

Το μήλο είναι κίτρινο.

Το μολύβι είναι κίτρινο.

| α - ρι - θμοί | αριθμοί | *numbers* |
|---|---|---|
| έ - να | ένα | 1 |
| δύ - ο | δύο(δυο) | 2 |
| τρί - α | τρία | 3 |
| τέσ - σε - ρα | τέσσερα | 4 |
| πέ - ντε | πέντε | 5 |
| έ - ξι | έξι | 6 |
| ε - φτά | εφτά | 7 |
| ο - χτώ | οχτώ | 8 |
| εν - νιά | εννιά | 9 |
| δέ - κα | δέκα | 10 |
| έ - ντε - κα | έντεκα | 11 |
| δώ - δε - κα | δώδεκα | 12 |
| δε - κα - τρί - α | δεκατρία | 13 |
| δε - κα - τέσ - σε - ρα | δεκατέσσερα | 14 |
| δε - κα - πέ- ντε | δεκαπέντε | 15 |
| δε - κα - έ - ξι | δεκαέξι | 16 |
| δε - κα - ε - φτά | δεκαεφτά | 17 |
| δε - κα - ο - χτώ | δεκαοχτώ | 18 |
| δε - κα - εν - νιά | δεκαεννιά | 19 |
| εί - κο - σι | είκοσι | 20 |

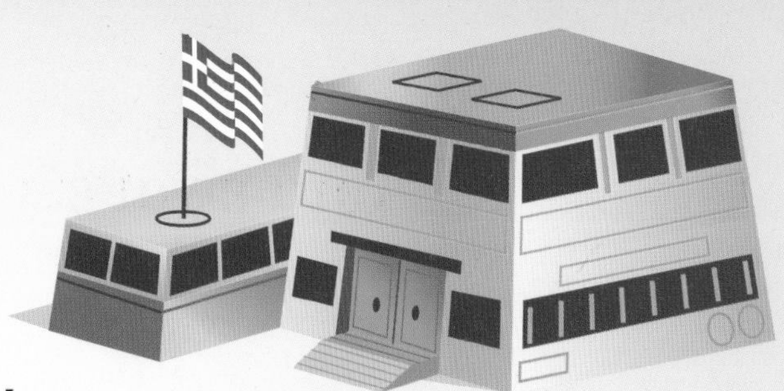

Αυτό είναι ένα σχολείο.

Αυτά είναι δυο βιβλία.

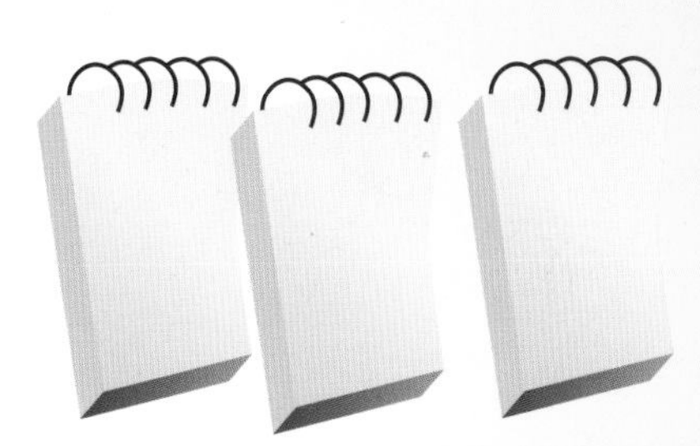

Αυτά είναι τρία τετράδια.

Αυτά είναι τέσσερα μολύβια.

Αυτά είναι πέντε φώτα.

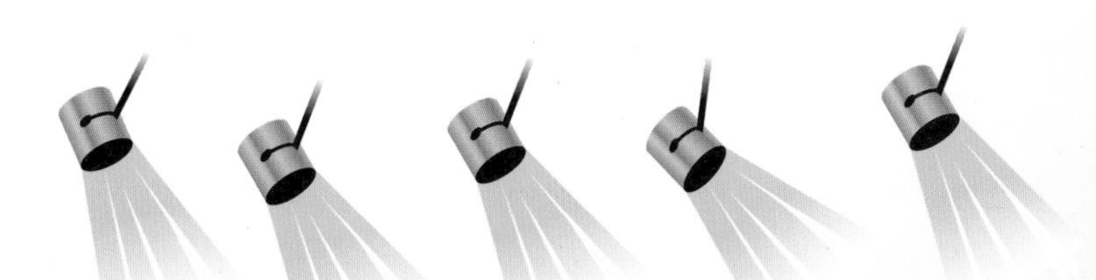

αυτά - *these*

Αυτά είναι έξι λεμόνια.

Αυτά είναι εφτά μήλα.

Αυτά είναι οχτώ ποτήρια.

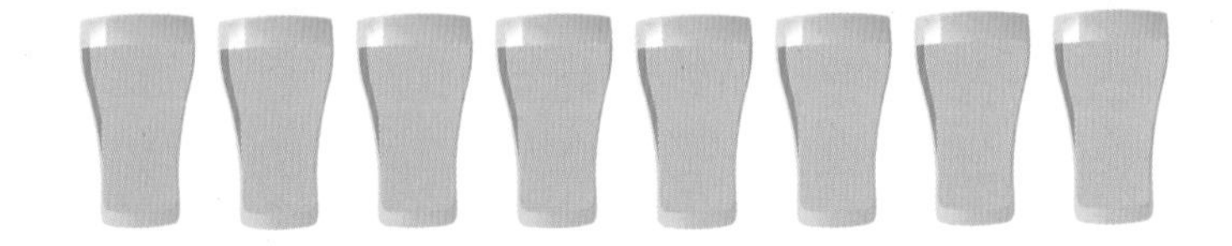

Αυτά είναι εννιά φύλλα.

Αυτά είναι δέκα παπάκια.

Δέκα και δέκα κάνουν είκοσι.

10 + 10 = 20

Τρία και τρία κάνουν έξι.

Ένα και ένα κάνουν δύο.

Πέντε και πέντε κάνουν δέκα.

Πόσα κάνουν ένα και τέσσερα;

Πόσα κάνουν τέσσερα και οχτώ;

Πόσα κάνουν δεκαπέντε και πέντε;

κάνουν - *they make*

# *Lesson 29* - Ένα κορίτσι

| | | |
|---|---|---|
| κε - φά - λι | το κεφάλι | *head* |
| μαλ - λιά | τα μαλλιά | *hair* |
| πρό - σω - πο | το πρόσωπο | *face* |
| στό - μα | το στόμα | *mouth* |
| δά - χτυ - λο | το δάχτυλο | *finger, toe* |
| α - κού - ω | ακούω | *I hear* |

Είμαι ένα κορίτσι.
Αυτό είναι το κεφάλι μου.

Στο κεφάλι μου έχω μαλλιά.
Τα μαλλιά μου είναι μαύρα.

Αυτό είναι το πρόσωπό μου.

Στο πρόσωπό μου είναι τα μάτια.

Βλέπω με τα μάτια μου.

με - *with*

Αυτά είναι τα μαλλιά μου.

Αυτό είναι το μάτι μου.

Αυτή είναι η μύτη μου.

Αυτό είναι το στόμα μου.

Τρώω με το στόμα μου.

αυτή - *this*

Αυτά είναι τα πόδια μου.
Έχουν δέκα δάχτυλα.

Αυτά είναι τα χέρια μου.
Αυτά είναι τα δάχτυλά μου.
Έχω δέκα δάχτυλα.

Αυτά είναι τα αυτιά μου.
Με τα αυτιά μου ακούω.

έχουν - *they have*

# *Lesson 30* - Η Τάξη

| | | |
|---|---|---|
| τά - ξη | η τάξη | *class* |
| πί - να - κας | ο πίνακας | *blackboard* |
| θρα - νί - ο | το θρανίο | *desk* |
| κά - θο - νται | κάθονται | *they sit* |
| χάρ - της | ο χάρτης | *map* |

χάρτης της Ελλάδας *map of Greece*

χάρτης της Αμερικής *map of the United States*

| | | | |
|---|---|---|---|
| γράφω | *I write* | διαβάζω | *I read* |
| γράφεις | *you write* | διαβάζεις | *you read* |
| γράφει | *he, she, it writes* | διαβάζει | *he, she, it reads* |
| γράφουμε | *we write* | διαβάζουμε | *we read* |
| γράφετε | *you write* | διαβάζετε | *you read* |
| γράφουν | *they write* | διαβάζουν | *they read* |

Αυτή είναι μια τάξη.

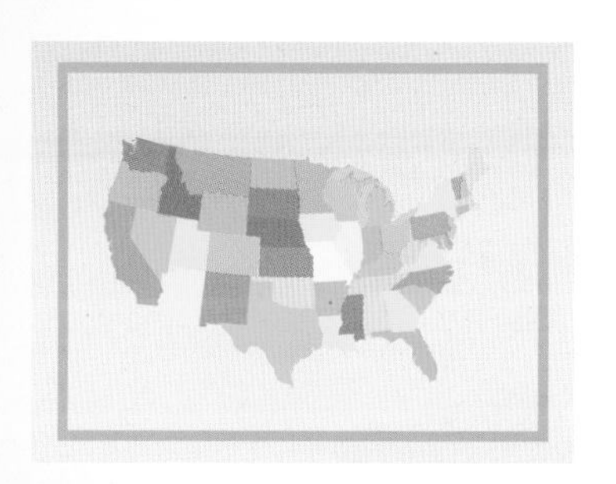

Αυτός είναι ένας πίνακας.
Ο πίνακας είναι μαύρος.
Γράφουμε στον πίνακα.

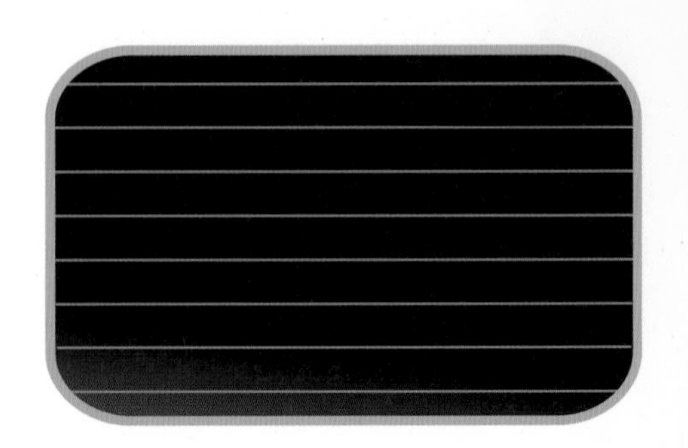

Αυτά είναι βιβλία.
Διαβάζουμε τα βιβλία.

Αυτά είναι θρανία.
Τα παιδιά κάθονται στα θρανία.
Η τάξη έχει πολλά θρανία.

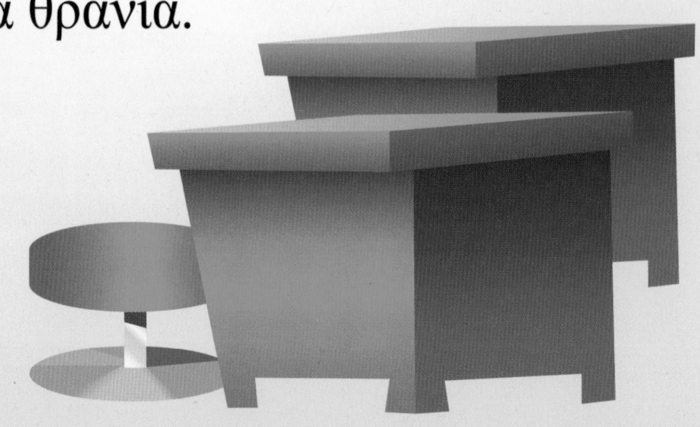

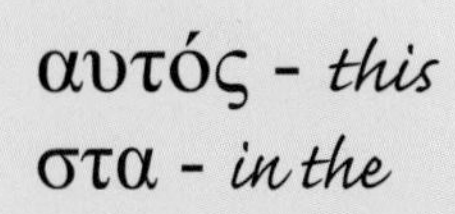

αυτός - *this*
στα - *in the*

Αυτός είναι ένας χάρτης.

Είναι χάρτης της Ελλάδας.

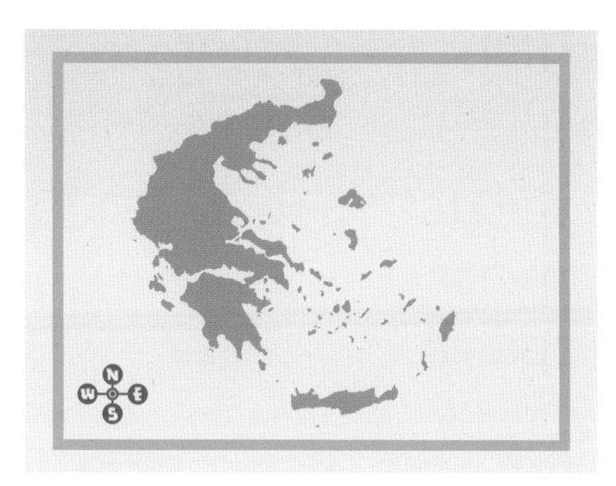


Αυτός είναι χάρτης της Αμερικής.

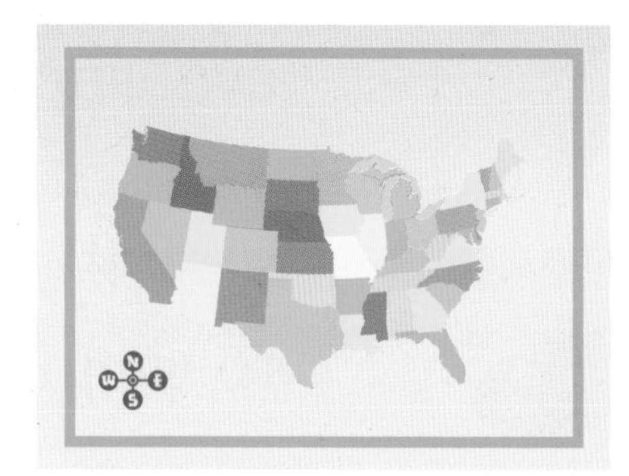


Αυτά είναι τετράδια.

Γράφουμε στα τετράδια με ένα μολύβι.

# *Lesson 31* - Τρώω

| | |
|---|---|
| τρώω | *I eat* |
| τρως | *you eat* |
| τρώει | *he, she, it eats* |
| τρώμε | *we eat* |
| τρώτε | *you eat* |
| τρώνε | *they eat* |

ψά - ρι ψάρι

το ψάρι

ένα ψάρι

ψω - μί ψωμί

το ψωμί

ένα ψωμί

αβ - γό αβγό

το αβγό

ένα αβγό

το αβγό - *egg*

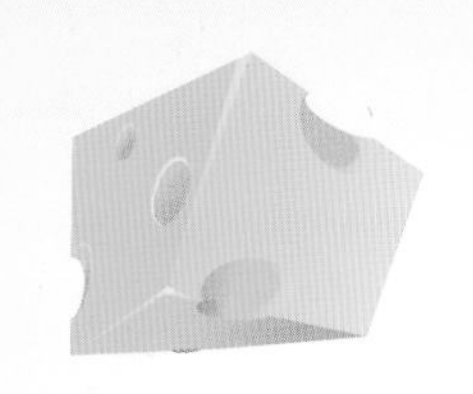

τυ - ρί τυρί

το τυρί

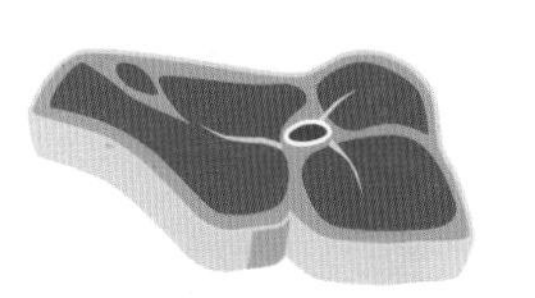

κρέ - ας κρέας

το κρέας

κό - τα κότα

η κότα

μια κότα

κε - φτές κεφτές

ο κεφτές

ένας κεφτές

μα - κα - ρό - νια

μακαρόνια

τα μακαρόνια

το τυρί - *cheese*
το κρέας - *meat*
ο κεφτές - *meatball*
τα μακαρόνια - *spaghetti*

Τα παιδιά τρώνε μακαρόνια.

Ο Νίκος τρώει κεφτέδες.

Εμείς τρώμε κρέας.

Η Μαρία τρώει κότα.

Εσύ τώρα, τι τρως;

Εγώ τώρα τρώω ψωμί και τυρί.

εμείς - *we*

# *Lesson 32* - Πίνω

| | |
|---|---|
| πίνω | *I drink* |
| πίνεις | *you drink* |
| πίνει | *he, she, it drinks* |
| πίνουμε | *we drink* |
| πίνετε | *you drink* |
| πίνουν | *they drink* |

κα - φές
καφές
ο καφές
ένας καφές

τσά - ι
τσάι
το τσάι
ένα τσάι

σο - κο - λά - τα
η σοκολάτα
η ζεστή σοκολάτα

σοκολάτα
μια σοκολάτα

ο καφές - *coffee*
το τσάι - *tea*
η σοκολάτα - *chocolate*
ζεστή - *hot*

λε - μο - νά - δα

λεμονάδα

η λεμονάδα

μια λεμονάδα

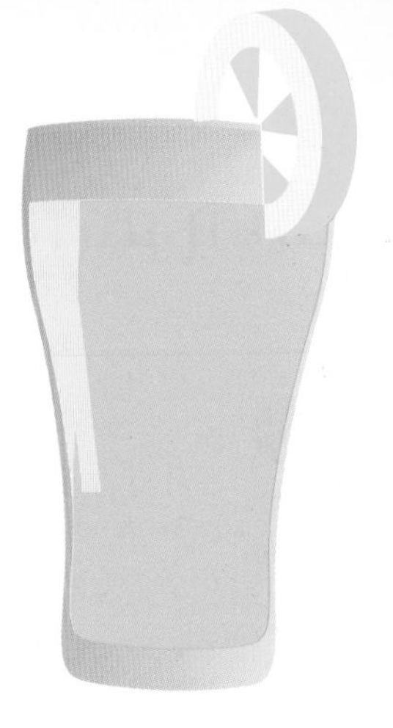

Ο Νίκος πίνει ένα ποτήρι λεμονάδα.

Τα παιδιά πίνουν κρύο γάλα.

η λεμονάδα - *lemonade*

Ο πατέρας και η μητέρα πίνουν καφέ.

Εμείς πίνουμε κρύο νερό.

Ο παππούς και η γιαγιά πίνουν τσάι.

Εμείς πίνουμε ζεστή σοκολάτα.

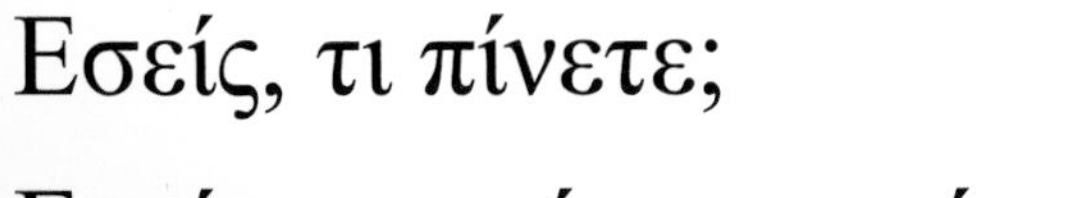

Εσείς, τι πίνετε;

Εμείς το απόγευμα πίνουμε λεμονάδα.

εσείς - *you*
ο παππούς - *grandfather*
η γιαγιά - *grandmother*

# *Lesson 33* - Τα φρούτα

| | | |
|---|---|---|
| ω - ραί - ο | ωραίο | *nice* |
| νό - στι - μο | νόστιμο | *tasty* |
| γλυ - κό | γλυκό | *sweet* |

καρ - πού - ζι

καρπούζι

το καρπούζι

ένα καρπούζι

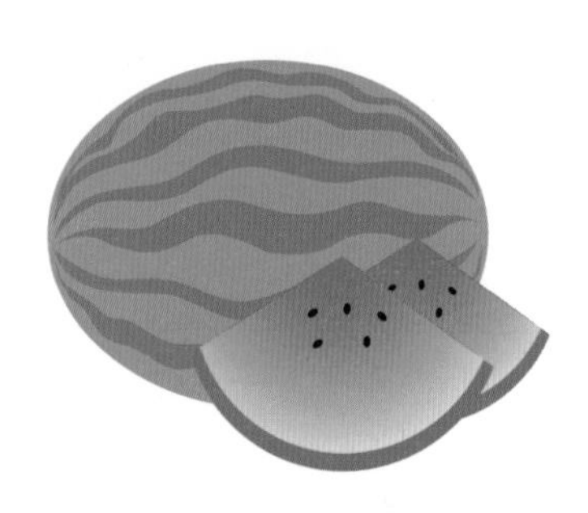

κε - ρά - σια

κεράσια

τα κεράσια

στα - φύ - λια

σταφύλια

τα σταφύλια

τα φρούτα - *fruit*
το καρπούζι - *watermelon*
τα κεράσια - *cherries*
τα σταφύλια - *grapes*

πορ - το - κά - λι

πορτοκάλι

το πορτοκάλι

ένα πορτοκάλι

α - χλά - δι

αχλάδι

το αχλάδι

ένα αχλάδι

μπα - νά - να

μπανάνα

η μπανάνα

μια μπανάνα

πε - πό - νι

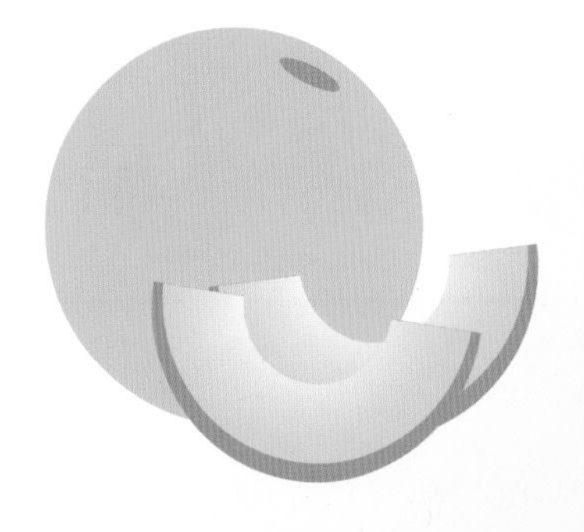

πεπόνι

το πεπόνι

ένα πεπόνι

το πορτοκάλι - *orange*
το αχλάδι - *pear*

η μπανάνα - *banana*
το πεπόνι - *cantaloupe*

Ωραίο, νόστιμο, γλυκό καρπούζι.

Κόκκινο καρπούζι.

- Μου αρέσει το καρπούζι, λέει ο Νίκος.

Τρώω το καρπούζι.

- Ωραία, νόστιμα, γλυκά κεράσια,

λέει η Άννα.

Κόκκινα, μεγάλα και γλυκά κεράσια.

- Μου αρέσουν τα κεράσια.

Σταφύλια.

Κόκκινα και άσπρα.

Νόστιμα και γλυκά.

Ένα ωραίο, μεγάλο, κόκκινο μήλο.

- Μου αρέσουν πολύ τα μήλα,

λέει ο Μανόλης.

Κάθε μέρα τρώω ένα μήλο.

μου αρέσει - *I like (one thing)*
μου αρέσουν - *I like (many things)*
κάθε μέρα - *everyday*

- Μου αρέσουν τα
πορτοκάλια, λέει η Ελένη.

Κάθε πρωί τρώω
ένα πορτοκάλι.

Το πράσινο πεπόνι.
Πολύ νόστιμο.
Θέλω μια φέτα πεπόνι.

η φέτα - *slice*
πολύ - *very*

Ένα αχλάδι.
Είναι πράσινο.
Είναι γλυκό και
νόστιμο.
Πάρε ένα αχλάδι.

Μπανάνες, μπανάνες!
Έχω ωραίες γλυκές μπανάνες.

πάρε - *take*

# Lesson 34 - Δυο παιδιά

Να δυο παιδιά.

Ένα αγόρι και ένα κορίτσι.

Το αγόρι είναι ο Κώστας.

Το κορίτσι είναι η Μαρία.

Η Μαρία είναι οχτώ χρονών.

Ο Κώστας είναι εφτά χρονών.

Ο Κώστας και η Μαρία πηγαίνουν σε δυο σχολεία.
Πηγαίνουν και στο ελληνικό σχολείο.

Διαβάζουν και γράφουν.
Μαθαίνουν αγγλικά.
Μαθαίνουν ελληνικά.

χρονών - *years old*
πηγαίνουν - *they go*
το ελληνικό - *Greek*

μαθαίνουν - *they learn*
τα αγγλικά - *English*
τα ελληνικά - *Greek*

# *Lesson 35* - Το σπίτι

το σπίτι - *house*

τα σπίτια - *houses*

ο δρόμος - *street, road*

άλλα - *others*

όμορφα - *pretty*

Ελάτε μέσα, παρακαλώ! - *Come in, please!*

Θέλω να σας δείξω. - *I want to show you.*

το δωμάτιο - *room*

η σάλα - *living room*

η τραπεζαρία - *dining room*

εδώ - *here*

η κουζίνα - *kitchen*

μαγειρεύει - *he/she cooks*

η κρεβατοκάμαρα - *bedroom*

δεύτερο - *second*

το πάτωμα - *floor*

το κρεβάτι - *bed*

εκεί - *there*

το γραφείο - *desk*

Να ένας δρόμος.
Είναι μεγάλος και ωραίος.

Έχει πολλά σπίτια, άλλα μεγάλα και άλλα μικρά.

Όλα είναι όμορφα.

Αυτό είναι το σπίτι μου.

Ελάτε μέσα, παρακαλώ.

Θέλω να σας δείξω το σπίτι μου.

Αυτό το δωμάτιο είναι η
σάλα και αυτό η τραπεζαρία.

Εδώ είναι η κουζίνα.
Η μαμά μαγειρεύει στην κουζίνα.

Η κρεβατοκάμαρά μου είναι πάνω,
στο δεύτερο πάτωμα.

Είναι μεγάλη.

Εδώ είναι το κρεβάτι μου.
Εκεί το γραφείο μου.
Διαβάζω και γράφω στο γραφείο μου.

# *Lesson 36* - Η οικογένεια

η οικογένεια - *family*
ο κύριος - *Mr.*
η κυρία - *Mrs.*
έχουν - *they have*
μαζί - *together*
μένουν - *they live, they stay*
αγαπούν - *they love*
παίρνουν - *they take*
τα γόνατα - *knees*
λένε - *they say*
τα παραμύθια - *tales, stories*

Να μια οικογένεια.
Ο πατέρας είναι ο κύριος Πέτρος.
Η μητέρα είναι η κυρία Ελένη.

Ο κύριος Πέτρος και η κυρία Ελένη
έχουν τέσσερα παιδιά. Δυο αγόρια
και δυο κορίτσια.

Το ένα αγόρι είναι ο Τάσος.
Το άλλο αγόρι είναι ο Ντίνος.
Τα κορίτσια είναι η Νίνα και η Νίκη.

Μαζί με την οικογένεια μένουν ο παππούς και η γιαγιά.

Ο παππούς και η γιαγιά αγαπούν πολύ τα παιδιά.

Τα παίρνουν στα γόνατά τους και τους λένε παραμύθια.

# *Lesson 37* - Τι τρώει ο Γιαννάκης;

ρωτά - *he/she asks*

από όλα - *of everything*

απαντά - *he/she answers*

σαν τι; - *like what?*

το μπέικον - *bacon*

το τοστ - *toast*

το ρύζι - *rice*

οι πατάτες - *potatoes*

κάποτε - *sometimes*

η σούπα - *soup*

ή - *or*

τα κορν φλέικς - *corn flakes*

η σαλάτα - *salad*

η ντομάτα - *tomato*

το αγγούρι - *cucumber*

το μαρούλι - *lettuce*

η πορτοκαλάδα - *orange juice*

Μπράβο! - *Bravo!*

υγιεινά - *healthy*

γι' (για) - *for*

δυνατό - *strong*

Η δασκάλα ρωτά τον Γιαννάκη:

- Γιαννάκη, μας λες τι τρως κάθε μέρα;
- Τρώω από όλα, απαντά ο Γιαννάκης.
- Σαν τι;
- Τρώω κρέας. Μου αρέσει πολύ.

- Τι άλλο τρως;

- Τρώω μακαρόνια, κεφτέδες, ρύζι, πατάτες και κότα.
Κάποτε τρώω και ψάρι.
Μου αρέσει πολύ η σούπα με ρύζι.

Με το φαγητό μου τρώω σαλάτα με ντομάτα, αγγούρι και μαρούλι.

- Τι πίνεις;

- Πίνω κρύο νερό, γάλα και πορτοκαλάδα.

- Το πρωί τι τρως;

- Τρώω ένα αβγό με μπέικον και τοστ
ή κορν φλέικς.

- Μπράβο Γιαννάκη. Τρως καλά και υγιεινά.

Γι' αυτό είσαι δυνατό παιδί.

# *Lesson 38* - Τι φοράει ο Τάκης;

φοράει - *he/she wears*

το παντελόνι - *pants, trousers*

οι κάλτσες - *socks, stockings*

τα παπούτσια - *shoes*

το πουκάμισο - *shirt*

το σακάκι - *men's jacket*

όταν - *when*

φορώ, φοράω - *I wear*

το παλτό - *coat, overcoat*

τα γάντια - *gloves*

το σκουφί - *cap, hat*

ή - *or*

το καπέλο - *hat*

Τι φοράει ο Τάκης;

Ο Τάκης λέει τι φοράει:

- Αυτό είναι το

παντελόνι μου, λέει ο Τάκης.

- Αυτές είναι οι

κάλτσες μου και αυτά τα παπούτσια μου.

- Αυτό είναι το πουκάμισό

μου και αυτό το σακάκι μου.

- Όταν κάνει κρύο φοράω παλτό και στα χέρια γάντια.

- Στο κεφάλι φοράω ένα σκουφί ή ένα καπέλο.

# *Lesson 39* - Τι φοράει η Τούλα;

το φουστάνι - *dress*

πολλές φορές - *many times*

η μπλούζα - *blouse*

η φούστα - *skirt*

μερικές φορές - *sometimes*

η ζακέτα - *jacket*

για - *for*

βάζω - *I put*

Τώρα η Τούλα λέει
τι φοράει:
- Εγώ φοράω φουστάνι.

- Πολλές φορές φοράω
μπλούζα και φούστα.
- Φοράω κάλτσες
και παπούτσια.

- Μερικές φορές φοράω
παντελόνι, όπως
τα αγόρια.

- Όταν κάνει κρύο φοράω ζακέτα ή παλτό.

- Για τα χέρια έχω γάντια και στο κεφάλι βάζω ένα σκουφί ή ένα καπέλο.

# *Lesson 40* - Το σχολείο

να μάθουν γράμματα - *to learn*

το κτίριο - *building*

η αίθουσα - *classroom*

η τάξη - *class*

δική της - *her own*

εκεί - *there*

η βιβλιοθήκη - *bookcase*

γύρω από - *around the*

η αυλή - *yard*

παίζουν - *they play*

Τα παιδιά πηγαίνουν στο σχολείο.
Πηγαίνουν για να μάθουν γράμματα.

Το σχολείο είναι ένα μεγάλο κτίριο.
Έχει πολλές αίθουσες.
Κάθε τάξη έχει τη δική της αίθουσα.
Εκεί κάνουν μάθημα τα παιδιά.

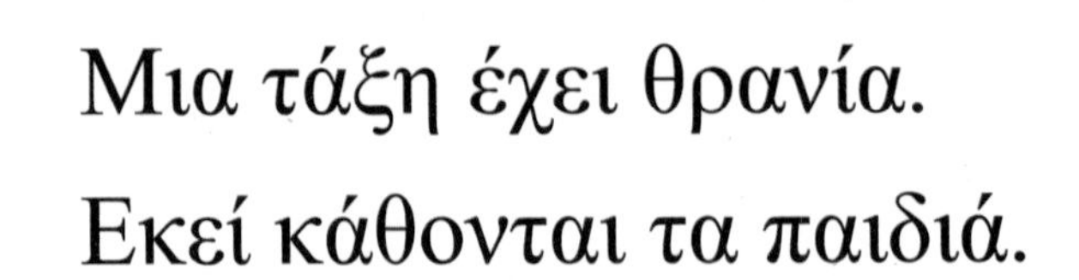

Μια τάξη έχει θρανία.
Εκεί κάθονται τα παιδιά.

Έχει πίνακες και ένα
γραφείο για τη δασκάλα.

Έχει χάρτες και μια μικρή βιβλιοθήκη με βιβλία.

Γύρω από το σχολείο είναι μια αυλή.

Εκεί παίζουν τα παιδιά, όταν δεν κάνουν μάθημα.

# Lesson 41 - Οι μέρες

## Οι μέρες

| | | |
|---|---|---|
| Κυ - ρι - α - κή | Κυριακή | *Sunday* |
| Δευ - τέ - ρα | Δευτέρα | *Monday* |
| Τρί - τη | Τρίτη | *Tuesday* |
| Τε - τάρ - τη | Τετάρτη | *Wednesday* |
| Πέμ - πτη | Πέμπτη | *Thursday* |
| Πα - ρα - σκευ - ή | Παρασκευή | *Friday* |
| Σάβ - βα - το | Σάββατο | *Saturday* |

μαθαίνω *I learn*
μαθαίνεις *you learn*
μαθαίνει *he, she, it learns*

μαθαίνουμε *we learn*
μαθαίνετε *you learn*
μαθαίνουν *they learn*

Τα παιδιά μαθαίνουν τις μέρες:

Μια εβδομάδα έχει εφτά μέρες.
Σήμερα είναι Κυριακή.

Αύριο είναι Δευτέρα.
Μεθαύριο είναι Τρίτη.

Ύστερα είναι Τετάρτη.
Μετά είναι Πέμπτη.

Μετά Παρασκευή.
Και ύστερα Σάββατο.

οι μέρες - *days*
η εβδομάδα - *week*
σήμερα - *today*

αύριο - *tomorrow*
μετά - *after*
ύστερα - *after*

μεθαύριο
- *the day after tomorrow*

# *Lesson 42* - Πρωί, μεσημέρι, βράδυ

ο ήλιος - *sun*

ο ουρανός - *sky*

σε λίγο - *in a little while*

ψηλά - *high up*

κάνει ζέστη - *it is warm*

χαμηλά - *low*

βλέπουμε - *we see*

το άστρο - *star*

το φεγγάρι - *moon*

η γη - *earth*

Πρωί.

Να ο ήλιος στον ουρανό.

Έχει δυνατό φως.

Σε λίγο είναι μεσημέρι.

Ο ήλιος είναι ψηλά στον ουρανό.

Κάνει ζέστη.

Τώρα ο ήλιος είναι χαμηλά
στον ουρανό.

Είναι απόγευμα.
Δεν κάνει πολλή ζέστη.

Τώρα είναι βράδυ.

Και ύστερα νύχτα.
Βλέπουμε πολλά άστρα στον ουρανό.

Να και το φεγγάρι.
Έχει ένα ωραίο, γλυκό φως.

Ο ήλιος και το φεγγάρι δίνουν φως στη γη.

## The Alphabet - Το αλφάβητο

| | | | |
|---|---|---|---|
| Αα | άλφα | Νν | νι |
| Ββ | βήτα | Ξξ | ξι |
| Γγ | γάμα | Οο | όμικρο |
| Δδ | δέλτα | Ππ | πι |
| Εε | έψιλο | Ρρ | ρο |
| Ζζ | ζήτα | Σσς | σίγμα |
| Ηη | ήτα | Ττ | ταυ |
| Θθ | θήτα | Υυ | ύψιλο |
| Ιι | γιώτα | Φφ | φι |
| Κκ | κάπα | Χχ | χι |
| Λλ | λάμδα | Ψψ | ψι |
| Μμ | μι | Ωω | ωμέγα |

# *Some Grammatical Notes*

| | | | |
|---|---|---|---|
| **ο** | the | **ο πατέρας** | the father |
| **η** | the | **η μητέρα** | the mother |
| **το** | the | **το παιδί** | the child |

| | | | |
|---|---|---|---|
| **ένας** | a, an one | **ένας πατέρας** | a father |
| **μία (μια)** | a, an, one | **μια μητέρα** | a mother |
| **ένα** | a, an, one | **ένα παιδί** | a child |

| **one** | **two or more** | |
|---|---|---|
| **το μήλο** | **τα μήλα** | apple - apples |
| **το βιβλίο** | **τα βιβλία** | book - books |
| **το αγόρι** | **τα αγόρια** | boy - boys |
| **το κορίτσι** | **τα κορίτσια** | girl - girls |
| **το μολύβι** | **τα μολύβια** | pencil - pencils |

## A word that tells something about some other word:

| | | | |
|---|---|---|---|
| **καλός** | good | **ο καλός πατέρας** | the good father |
| **καλή** | good | **η καλή μητέρα** | the good mother |
| **καλό** | good | **το καλό παιδί** | the good child |

| | | | |
|---|---|---|---|
| **ωραίος** | beautiful | **ωραίος ουρανός** | beautiful sky |
| **ωραία** | beautiful | **ωραία μέρα** | beautiful day |
| **ωραίο** | beautiful | **ωραίο σπίτι** | beautiful house |

## These words show that we do something:

| | | | |
|---|---|---|---|
| **τρώω** | I eat | **παίζω** | I play |
| **τρως** | you eat | **παίζεις** | you play |
| **τρώει** | he, she, it eats | **παίζει** | he, she, it plays |
| **τρώμε** | we eat | **παίζουμε** | we play |
| **τρώτε** | you eat | **παίζετε** | you play |
| **τρώνε** | they eat | **παίζουν** | they play |

| | | | |
|---|---|---|---|
| **πίνω** | I drink | **θέλω** | I want |
| **πίνεις** | you drink | **θέλεις** | you want |
| **πίνει** | he, she, it drinks | **θέλει** | he, she, it wants |
| **πίνουμε** | we drink | **θέλουμε** | we want |
| **πίνετε** | you drink | **θέλετε** | you want |
| **πίνουν** | they drink | **θέλουν** | they want |

# Greek/English Words

A
**αβγό, το** - egg
**αγαπώ** - I love
**αγγλικά, τα** - English
**αγγούρι, το** - cucumber
**αγόρι, το** - boy
**αίθουσα, η** - classroom
**ακούω** - I hear, I listen
**άλλα** - other, others
**άλλος, άλλη, άλλο** - other
**αλφάβητο, το** - the alphabet
**αμερικανικό, το** - American
**Άννα, η** - girl's name, Anna
**αντίο** - good-bye
**απαντώ** - I answer
**από όλα** - of everything
**απόγευμα, το** - afternoon
**άσπρο** - white
**άστρο, το** - star
**αυλή, η** - yard
**αύριο** - tomorrow
**αυτί, το** - ear
**αυτιά, τα** - ears
**αυτός, αυτή, αυτό** - this
**αχλάδι, το** - pear
B
**βάζω** - I put
**βιβλίο, το** - book
**βιβλιοθήκη, η** - bookcase
**βλέπω** - I see
**βουνό, το** - mountain
**βράδυ,το** - evening
Γ
**γάλα, το** - milk
**γαλάζιο** - blue
**γαλανός, γαλανή, γαλανό** - blue
**γάντι, το** - glove
**γάντια, τα** - gloves
**γάτα, η** - cat
**γατάκι, το** - kitten
**γη, η** - earth
**για** - for
**γιαγιά, η** - grandmother
**Γιάννης, ο** - boy's name, John
**Γιώργος, ο** - boy's name, George
**γλυκός, γλυκιά, γλυκό** - sweet
**γόνατα, τα** - knees
**γράμμα, το** - letter
**γράμματα, τα** - letters
**γρασίδι, το** - grass
**γραφείο, το** - desk, office
**γράφω** - I write
**γύρω** - around
**γύρω από** - around the
Δ
**δασκάλα, η** - teacher (woman)
**δάσκαλος, ο** - teacher (man)
**δάχτυλο, το** - finger, toe
**δε (δεν)** - no, not
**δέκα** - ten
**δεκατρία** - thirteen
**δεκατέσσερα** - fourteen
**δεκαπέντε** - fifteen
**δεκαέξι** - sixteen
**δεκαεφτά** - seventeen
**δεκαοχτώ** - eighteen
**δεκαεννιά** - nineteen
**Δευτέρα, η** - Monday
**δεύτερο** - second
**διαβάζω** - I read
**δική της** - her own
**δίνω** - I give
**δρόμος, ο** - street, road
**δυνατός, δυνατή, δυνατό** - strong
**δύο (δυο)** - two
**δώδεκα** - twelve
**δωμάτιο, το** - room
**δώρο, το** - gift
E
**εβδομάδα, η** - week
**εγώ** - I
**εδώ** - here
**είκοσι** - twenty
**είμαι** - I am
**εκεί** - there
**εκκλησία, η** - church
**έλα** - come
**ελάτε μέσα** - come in
**Ελένη, η** - girl's name, Helen
**Ελλάδα, η** - Greece
**ελληνικά, τα** - Greek
**εμείς** - we
**ένα** - a, an, one
**ένας** - a, an, one
**εννιά** - nine
**έντεκα** - eleven
**έξι** - six
**εσείς** - you
**εσύ** - you
**Ευγενία, η** - girl's name, Eugenia
**Ευτυχία, η** - girl's name, Eftihia
**ευχαριστώ** - I thank, thank you
**εφτά** - seven
**έχω** - I have
Z
**ζακέτα, η** - jacket
**ζέστη, κάνει** - it is warm, it is hot
**ζεστός, ζεστή, ζεστό** - hot, warm
**ζώνη, η** - belt
H
**η** - the
**ή** - or
**ήλιος, ο** - sun
Θ
**θάλασσα, η** - sea
**θέλω** - I want
**Θεός, ο** - God
**θηρίο, το** - monster, beast
**θρανίο, το** - desk
K
**καθαρός** - clear, clean

**κάθε** - every
**κάθε μέρα** - everyday
**κάθομαι** - I sit
**και** - and, also
**κακό** - bad
**καλημέρα** - good morning
**καληνύχτα** - good night
**καλησπέρα** - good evening
**καλός, καλή, καλό** - good
**κάλτσα, η** - sock, stocking
**κάλτσες, οι** - socks, stockings
**κάνει ζέστη** - it is warm
**κάνω** - I do, I make
**καπέλο, το** - hat
**κάποτε** - sometimes
**καρπούζι, το** - watermelon
**καστανό** - chestnut brown
**κατηχητικό σχολείο, το** - Sunday school
**κάτι** - something
**κάτω** - down
**καφέ** - brown
**καφές, ο** - coffee
**κεράσι, το** - cherry
**κεράσια, τα** - cherries
**κεφάλι, το** - head
**κεφτές, ο** - meatball
**κίτρινο** - yellow
**κόκκινο** - red
**κορίτσι, το** - girl
**κορν φλέικς, τα** - corn flakes
**κότα, η** - chicken
**κουζίνα, η** - kitchen
**κούκλα, η** - doll
**κρέας, το** - meat
**κρεβάτι, το** - bed
**κρεβατοκάμαρα, η** - bedroom
**κρύος, κρύα, κρύο** - cold
**κτίριο, το** - building
**κυρία, η** - Mrs.
**Κυριακή, η** - Sunday
**κύριος, ο** - Mr.

**Λ**

**λεμονάδα, η** - lemonade
**λεμόνι, το** - lemon
**λέω** - I say

**Μ**

**μαγειρεύω** - I cook
**μαζί** - together
**μαθαίνω** - I learn
**μάθημα, το** - lesson
**μαθητής, ο** - pupil (boy)
**μαθήτρια, η** - pupil (girl)
**μακαρόνια, τα** - spaghetti, pasta
**μάλιστα** - yes
**μαλλιά, τα** - hair
**μαμά, η** - mother
**Μαρία, η** - girl's name, Maria
**μαρούλι, το** - lettuce
**μάτι, το** - eye
**μαύρο** - black
**με** - with
**μεγάλος, μεγάλη, μεγάλο** - big
**μεθαύριο** - the day after tomorrow
**μένω** - I live, I stay
**μέρα, η** - day
**μέρες, οι** - days
**μερικές** - some
**μερικές φορές** - sometimes
**μεσημέρι, το** - noon
**μετά** - after
**μήλο, το** - apple
**μητέρα, η** - mother
**μία (μια)** - a, an, one
**μικρός, μικρή, μικρό** - small
**μολύβι, το** - pencil
**μου** - my, mine
**μου αρέσει** - I like (one thing)
**μου αρέσουν** - I like (many things)
**μπάλα, η** - ball
**μπαλκόνι, το** - balcony
**μπαμπάς, ο** - father
**μπανάνα, η** - banana
**μπέικον, το** - bacon
**μπλε** - blue
**μπλούζα, η** - blouse
**μπράβο** - bravo
**μύτη, η** - nose

**Ν**

**να** - here is
**να μάθουν γράμματα** - to learn
**να σας δείξω** - to show you
**νάνι** - sleep
**νερό, το** - water
**Νίκη, η** - girl's name, Niki
**Νίκος, ο** - boy's name, Nick
**νόστιμο** - tasty
**ντομάτα, η** - tomato
**νύχτα, η** - night

**Ξ**

**ξερός, ξερή, ξερό** - dry
**ξίδι, το** - vinegar
**ξινός, ξινή, ξινό** - sour
**ξύλο, το** - stick, wood

**Ο**

**οικογένεια, η** - family
**όλος, όλη, όλο** - all
**όμορφα** - pretty
**όνομα, το** - name
**ορίστε** - here
**όταν** - when
**ουρανός, ο** - sky
**όχι** - no
**οχτώ** - eight

**Π**

**παιδί, το** - child
**παίζω** - I play

**παίρνω** - I take
**παλτό, το** - coat, overcoat
**Παναγία, η** - Virgin Mary
**πανταλόνι, το** - pants, trousers
**πάνω** - up
**παπάκι, το** - duckling
**παπί, το** - duck
**παπούτσι, το** - shoe
**παπούτσια, τα** - shoes
**παππούς, ο** - grandfather
**παρακαλώ** - please
**παραμύθι, το** - tale, story
**παραμύθια, τα** - tales, stories
**Παρασκευή, η** - Friday
**πάρε** - take
**πατάτα, η** - potato
**πατάτες, οι** - potatoes
**πατέρας, ο** - father
**πάτωμα, το** - floor
**Πέμπτη, η** - Thursday
**πέντε** - five
**πεπόνι, το** - cantaloupe
**πηγαίνω** - I go
**πίνακας, ο** - board, blackboard
**πίνω** - I drink
**ποιο** - what
**πόδι, το** - foot
**πολλά** - many
**πολύ** - much, very
**πολλές φορές** - many times
**Πόπη, η** - girl's name, Popi
**πορτοκαλάδα, η** - orange juice
**πορτοκάλι, το** - orange
**πόσα** - how many
**ποτήρι, το** - glass
**πουκάμισο, το** - shirt
**πράγμα, το** - thing
**πράγματα, τα** - things
**πράσινο** - green
**πρόσωπο, το** - face
**πρωί, το** - morning
**πώς;** - how?

**Ρ**

**ρύζι, το** - rice
**ρωτώ** - I ask

**Σ**

**Σάββατο, το** - Saturday
**σακάκι, το** - men's jacket
**σάλα, η** - living room
**σαλάτα, η** - salad
**σαν τι;** - like what?
**σε λίγο** - in a little while
**σήμερα** - today
**σκυλάκι, το** - puppy
**σκύλος, ο** - dog
**σκουφί, το** - cap, hat
**σοκολάτα, η** - chocolate
**σου** - your, yours
**σούπα, η** - soup
**Σοφία, η** - girl's name, Sophia
**σπίτι, το** - house
**σταφύλια, τα** - grapes
**στον, στη (ν), στο, στα** - in the, on the, to the, at the
**στόμα, το** - mouth
**σχολείο, το** - school

**Τ**

**τα** - the
**τάξη, η** - class, classroom
**τέσσερα** - four
**Τετάρτη, η** - Wednesday
**τετράδιο, το** - notebook
**της** - her, hers
**τι;** - what?
**το** - the
**τοστ, το** - toast
**του, της, του** - his, hers, its
**τραπεζαρία, η** - dining room
**τρία** - three
**Τρίτη, η** - Tuesday
**τρώω** - I eat
**τσάι, το** - tea
**τυρί, το** - cheese
**τώρα** - now

**Υ**

**υγιεινά** - healthy
**ύστερα** - after

**Φ**

**φαγητό, το** - food, meal
**φεγγάρι, το** - moon
**φέτα, η** - slice
**φορώ (φοράω)** - I wear
**φούστα, η** - skirt
**φουστάνι, το** - dress
**φρούτα, τα** - fruit
**φρούτο, το** - fruit
**φύλλο, το** - leaf
**φως, το** - light
**φώτα, τα** - lights
**φωτιά, η** - fire

**Χ**

**χαρά, η** - joy
**χαίρετε** - hello, good-bye
**χαμηλά** - low
**χάρτης της Αμερικής** - map of the United States
**χάρτης της Ελλάδας** - map of Greece
**χάρτης, ο** - map
**χέρι, το** - hand
**χιόνι, το** - snow
**Χριστός, ο** - Christ
**χρονών** - years old
**χρώμα, το** - color

**Ψ**

**ψάρι, το** - fish
**ψηλά** - high up, high
**ψωμί, το** - bread

**Ω**

**ωραίος, ωραία, ωραίο** - nice, beautiful

# English/Greek Words

A
**a (an)** - ένας, μία (μια), ένα
**after** - μετά, ύστερα
**afternoon** - το απόγευμα
**all** - όλος, όλη, όλο
**alphabet** - το αλφάβητο
**also** - και
**am, I** - είμαι
**American** - το αμερικανικό
**and** - και
**answer, I** - απαντώ
**apple** - το μήλο
**around** - γύρω
**around the** - γύρω από
**ask, I** - ρωτώ
**at the** - στον, στη (στην), στο, στα
B
**bacon** - το μπέικον
**bad** - κακό
**balcony** - το μπαλκόνι
**ball** - η μπάλα
**banana** - η μπανάνα
**beast** - το θηρίο
**beautiful** - ωραίος, ωραία, ωραίο
**bed** - το κρεβάτι
**bedroom** - η κρεβατοκάμαρα
**belt** - η ζώνη
**big** - μεγάλος, μεγάλη, μεγάλο
**black** - μαύρο
**blackboard** - ο πίνακας
**blouse** - η μπλούζα
**blue** - μπλε, γαλάζιο, γαλανός, γαλανή, γαλανό
**board** - ο πίνακας
**book** - το βιβλίο
**bookcase** - η βιβλιοθήκη
**boy** - το αγόρι
**bravo** - μπράβο
**bread** - το ψωμί
**brown** - καφέ
**building** - το κτίριο
C
**cantaloupe** - το πεπόνι
**cap** - το σκουφί
**cat** - η γάτα
**cheese** - το τυρί
**cherries** - τα κεράσια
**cherry** - το κεράσι
**chestnut brown** - καστανό
**chicken** - η κότα
**child** - το παιδί
**chocolate** - η σοκολάτα
**Christ** - ο Χριστός
**church** - η εκκλησία
**class** - η τάξη
**classroom** - η αίθουσα, η τάξη
**clean** - καθαρός
**clear** - καθαρός
**coat** - το παλτό
**coffee** - ο καφές
**cold** - κρύος, κρύα, κρύο
**color** - το χρώμα
**come** - έλα
**come in** - ελάτε μέσα
**cook, I** - μαγειρεύω
**corn flakes** - τα κορν φλέικς
**cucumber** - το αγγούρι
D
**day** - η μέρα
**day after tomorrow** - μεθαύριο
**days** - οι μέρες
**desk** - το γραφείο, το θρανίο
**dining room** - η τραπεζαρία
**do, I** - κάνω
**dog** - ο σκύλος
**doll** - η κούκλα
**down** - κάτω
**dress** - το φουστάνι
**drink, I** - πίνω
**dry** - ξερός, ξερή, ξερό
**duck** - το παπί
**duckling** - το παπάκι
E
**ear** - το αυτί
**ears** - τα αυτιά
**earth** - η γη
**eat, I** - τρώω
**egg** - το αβγό
**eight** - οχτώ
**eighteen** - δεκαοχτώ
**eleven** - έντεκα
**English** - τα αγγλικά
**evening** - το βράδυ
**every** - κάθε
**everyday** - κάθε μέρα
**everything** - όλα
**eye** - το μάτι
F
**face** - το πρόσωπο
**family** - η οικογένεια
**father** - ο πατέρας, ο μπαμπάς
**fifteen** - δεκαπέντε
**finger** - το δάχτυλο
**fire** - η φωτιά
**fish** - το ψάρι
**five** - πέντε
**floor** - το πάτωμα
**food** - το φαγητό
**foot** - το πόδι
**for** - για
**four** - τέσσερα
**fourteen** - δεκατέσσερα
**Friday** - η Παρασκευή
**fruit** - το φρούτο, τα φρούτα
G
**gift** - το δώρο
**girl** - το κορίτσι
**give, I** - δίνω
**glass** - το ποτήρι
**glove** - το γάντι
**gloves** - τα γάντια
**go, I** - πηγαίνω

**God** - ο Θεός
**good** - καλός, καλή, καλό
**good evening** - καλησπέρα
**good morning** - καλημέρα
**good night** - καληνύχτα
**good-bye** - αντίο, χαίρετε
**grandfather** - ο παππούς
**grandmother** - η γιαγιά
**grapes** - τα σταφύλια
**grass** - το γρασίδι
**Greece** - η Ελλάδα
**Greek** - τα ελληνικά
**green** - πράσινο
**H**
**hair** - τα μαλλιά
**hand** - το χέρι
**hat** - το καπέλο, το σκουφί
**have, I** - έχω
**head** - το κεφάλι
**healthy** - υγιεινά
**hear, I** - ακούω
**hello** - χαίρετε
**her own** - δική της
**her, hers** - της
**here** - εδώ
**here** - ορίστε
**here is** - να
**high** - ψηλά
**high up** - ψηλά
**his** - του
**hot** - ζεστός, ζεστή, ζεστό
**hot, it is** - κάνει ζέστη
**house** - το σπίτι
**how?** - πώς;
**how many** - πόσα
**I**
**I** - εγώ
**in a little while** - σε λίγο
**in the** - στον, στη (στην), στο, στα
**it is warm** - κάνει ζέστη
**its** - του
**J**
**jacket** - η ζακέτα
**jacket (men's)** - το σακάκι
**joy** - η χαρά
**K**
**kitchen** - η κουζίνα
**kitten** - το γατάκι
**knees** - τα γόνατα
**L**
**leaf** - το φύλλο
**learn, I** - μαθαίνω
**learn, to** - να μάθουν γράμματα
**lemon** - το λεμόνι
**lemonade** - η λεμονάδα
**lesson** - το μάθημα
**letter** - το γράμμα
**letters** - τα γράμματα
**lettuce** - το μαρούλι
**light** - το φως
**lights** - τα φώτα
**like what?** - σαν τι;
**like, I (many things)** - μου αρέσουν
**like, I (one thing)** - μου αρέσει
**listen, I** - ακούω
**live, I** - μένω, ζω
**living room** - η σάλα
**love, I** - αγαπώ
**low** - χαμηλά
**M**
**make, I** - κάνω
**many** - πολλά
**many times** - πολλές φορές
**map** - ο χάρτης
**map of Greece** - χάρτης της Ελλάδας
**map of the United States** - χάρτης της Αμερικής
**meal** - το φαγητό
**meat** - το κρέας
**meatball** - ο κεφτές
**milk** - το γάλα
**mine** - μου
**Monday** - η Δευτέρα
**monster** - το θηρίο
**moon** - το φεγγάρι
**morning** - το πρωί
**mother** - η μαμά, η μητέρα
**mountain** - το βουνό
**mouth** - το στόμα
**Mr.** - ο κύριος
**Mrs.** - η κυρία
**much** - πολύ
**my** - μου
**N**
**name** - το όνομα
**nice** - ωραίος, ωραία, ωραίο
**night** - η νύχτα
**nine** - εννιά
**nineteen** - δεκαεννιά
**no** - όχι, δε (δεν)
**noon** - το μεσημέρι
**nose** - η μύτη
**not** - δε (δεν)
**notebook** - το τετράδιο
**now** - τώρα
**O**
**of everything** - από όλα
**on the** - στον, στη (στην), στο, στα
**one** - ένας, μία (μια), ένα
**or** - ή
**orange** - το πορτοκάλι
**orange juice** - η πορτοκαλάδα
**other (others)** - άλλα άλλος, άλλη, άλλο
**overcoat** - το παλτό
**P**
**pants** - το πανταλόνι
**pasta** - τα μακαρόνια
**pear** - το αχλάδι
**pencil** - το μολύβι
**play, I** - παίζω
**please** - παρακαλώ
**potato** - η πατάτα
**potatoes** - οι πατάτες
**pretty** - όμορφα

**pupil (boy)** - ο μαθητής
**pupil (girl)** - η μαθήτρια
**puppy** - το σκυλάκι
**put, I** - βάζω
**R**
**read, I** - διαβάζω
**red** - κόκκινο
**rice** - το ρύζι
**road** - ο δρόμος
**room** - το δωμάτιο
**S**
**salad** - η σαλάτα
**Saturday** - το Σάββατο
**say, I** - λέω
**school** - το σχολείο
**sea** - η θάλασσα
**second** - δεύτερος
**see, I** - βλέπω
**seven** - εφτά
**seventeen** - δεκαεφτά
**shirt** - το πουκάμισο
**shoe** - το παπούτσι
**shoes** - τα παπούτσια
**sit, I** - κάθομαι
**six** - έξι
**sixteen** - δεκαέξι
**skirt** - η φούστα
**sky** - ο ουρανός
**sleep** - νάνι
**slice** - η φέτα
**small** - μικρός, μικρή, μικρό
**snow** - το χιόνι
**sock** - η κάλτσα
**socks** - οι κάλτσες
**some** - μερικές
**something** - κάτι
**sometimes** - μερικές φορές, κάποτε
**soup** - η σούπα
**sour** - ξινός, ξινή, ξινό
**spaghetti** - τα μακαρόνια
**star** - το άστρο
**stay, I** - μένω
**stick** - το ξύλο
**stocking** - η κάλτσα
**stockings** - οι κάλτσες
**stories** - τα παραμύθια
**story** - το παραμύθι
**street** - ο δρόμος
**strong** - δυνατός, δυνατή, δυνατό
**sun** - ο ήλιος
**Sunday** - η Κυριακή
**Sunday school** - το κατηχητικό σχολείο
**sweet** - γλυκός, γλυκιά, γλυκό
**T**
**take** - πάρε
**take, I** - παίρνω
**tale** - το παραμύθι
**tales** - τα παραμύθια
**tasty** - νόστιμο
**tea** - το τσάι
**teacher (man)** - ο δάσκαλος
**teacher (woman)** - η δασκάλα
**ten** - δέκα
**thank you** - ευχαριστώ
**the** - ο, η, το, τα
**there** - εκεί
**thing** - το πράγμα
**things** - τα πράγματα
**thirteen** - δεκατρία
**this** - αυτός, αυτή, αυτό
**three** - τρία
**Thursday** - η Πέμπτη
**to the** - στον, στη (στην), στο, στα
**toast** - το τοστ
**today** - σήμερα
**toe** - το δάχτυλο
**together** - μαζί
**tomato** - η ντομάτα
**tomorrow** - αύριο
**trousers** - το παντελόνι
**Tuesday** - η Τρίτη
**twelve** - δώδεκα
**twenty** - είκοσι
**two** - δύο (δυο)
**U**
**up** - πάνω
**V**
**very** - πολύ
**vinegar** - το ξίδι
**Virgin Mary** - η Παναγία
**W**
**want to show you, I** - θέλω να σας δείξω
**want, I** - θέλω
**warm** - ζεστός, ζεστή, ζεστό
**warm, it is** - κάνει ζέστη
**water** - το νερό
**watermelon** - το καρπούζι
**we** - εμείς
**wear, I** - φορώ (φοράω)
**Wednesday** - η Τετάρτη
**week** - η εβδομάδα
**what?** - τι;, ποιο;
**when** - όταν
**white** - άσπρο
**with** - με
**wood** - το ξύλο
**write, I** - γράφω
**Y**
**yard** - η αυλή
**years old** - χρονών
**yellow** - κίτρινο
**yes** - μάλιστα, ναι
**you** - εσύ, εσείς
**your** - σου

We Would Love to Hear From You
Visit www.greek123.com
- New Products & Latest Releases
- Online Lesson Samples
- Teacher Support
- Feedback
Papaloizos
PUBLICATIONS

# Right healthy choices

I promise to Lou that I will do:

- [ ] Watch less TV.
- [ ] Go on more adventures.
- [ ] Stay inside less and outside more.
- [ ] Eat more healthy/organic food.
- [ ] Eat less junk food.
- [ ] Stay healthy and happy.
- [ ] **FEEL FREE!!!!!**

______________________________

sign or print your name